Un grand week-end
à Vienne

Un grand week-end
à Vienne

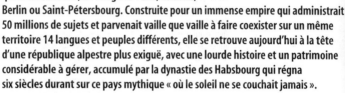

Il y a tout juste quatre-vingt-neuf ans de cela, Vienne était encore la capitale de l'un des États les plus puissants du continent européen, une métropole cosmopolite qui donnait le ton, à l'image de Paris, Londres, Berlin ou Saint-Pétersbourg. Construite pour un immense empire qui administrait 50 millions de sujets et parvenait vaille que vaille à faire coexister sur un même territoire 14 langues et peuples différents, elle se retrouve aujourd'hui à la tête d'une république alpestre plus exiguë, avec une lourde histoire et un patrimoine considérable à gérer, accumulé par la dynastie des Habsbourg qui régna six siècles durant sur ce pays mythique « où le soleil ne se couchait jamais ».

Et c'est sans doute dans cette contradiction même que réside le véritable enchantement de Vienne. Vous paraît-elle terne, austère, crispée, enfermée dans le carcan de son prestigieux passé ? C'est mal la connaître : elle est brillante en coulisses et pétille autant que le vin blanc qui grise les débutantes sur les parquets cirés les soirs de bal. On la dit provinciale, conformiste et sclérosée ? Erreur : elle est audacieuse, iconoclaste et rebelle à ses heures. Il suffit de voir l'effervescence de certains studios high-tech et autres lofts branchés où architectes, stylistes et designers concoctent la Vienne de demain. La ville, on l'aura compris, ne se dévoile pas au premier regard et ne se résume pas au seul inventaire des chefs-d'œuvre dont regorgent ses musées. Toujours, elle oscille entre deux images antagonistes : la vénérable cathédrale Saint-Étienne et la révolutionnaire Haas-Haus, qui se font face sur la même place. Ainsi, la frivole patrie des flonflons et de l'opérette est aussi celle de la rigueur intellectuelle et le berceau de la psychanalyse - le philosophe Wittgenstein était Viennois, tout comme Sigmund Freud. Il vous faudra plus d'un week-end pour entrevoir les multiples facettes de cette capitale qui se repaît de son âge d'or. Aussi est-il vain de chercher à tout explorer. Apprivoisez plutôt les lieux en déambulant au gré de votre humeur et des vitrines : chocolats, meubles Art nouveau, paires de richelieus en agneau, spencer en loden… Jetez un coup d'œil sur les cours intérieures, levez

le nez sur les mascarons, les atlantes et les festons des façades. Goûtez la palette « jaune Marie-Thérèse » et le vert des volets. À chaque venelle, dans la pâle lueur des réverbères, vous verrez surgir un nouveau fantôme. Ici, la maison où Mozart composa *Figaro*, là le palais où fut donnée la 9e de Beethoven. Tout ce qui compte dans le champ de l'art et de la musique est passé par là : Klimt, Kokoschka et Schiele, Brahms, Mahler et Schönberg… Ne vous cantonnez pas au palais

de la Hofburg ou à la galerie des glaces du château de Schönbrunn. Poussez les portails. Ici, la moindre église est un amoncellement de nuages en trompe-l'œil, d'anges en stuc et de fresques poudreuses. Le plus banal des immeubles recèle un escalier monumental et des sculptures d'un marbre aussi crémeux que vanillé. Ne vous laissez pas rebuter par la pesanteur des palais du Ring, ce boulevard qui marque la « frontière » de la City. Les 22 autres arrondissements de Vienne ont aussi une âme et n'ont rien d'une jungle. Vous

n'y ferez peut-être pas un shopping d'enfer mais vous y découvrirez – entre la piscine Sécession de l'Amalienbad et le complexe ouvrier du Karl-Marx-Hof – une autre Vienne qui n'est pas celle des guides de voyages. Promenez-vous à l'aube dans les jardins du Belvédère, à peine troublés par le murmure des fontaines, et remontez la pente douce pour mieux imaginer les cavaliers turcs déboulant de la steppe, sabre au clair. Passez le fleuve et c'est déjà la Transdanubie, avec ses gratte-ciel postmodernes. Laissez-vous gagner par le charme désuet des anciens faubourgs : ils sont un subtil concentré d'Europe centrale. Partout, Vienne est une ville élégante, bien élevée, sans bruits ni papiers gras. Une ville qui cultive à l'envi son héritage. Songez que le public du Burgtheater, jusqu'en 1983, n'applaudissait jamais les acteurs à la fin de la représentation, sous prétexte que, jadis, on ne pouvait ovationner que l'empereur. Après toutes ces explorations, il sera temps de sacrifier au rite du gâteau et du moka, histoire d'approfondir votre enquête sur les us et coutumes des Viennois. À moins que vous ne préfériez aux banquettes

élimées des cafés, l'ombre des charmilles. En ce cas, précipitez-vous dans les *Heurigen* des hameaux alentour. Le chardonnay des dernières vendanges s'y déguste accompagné de charcuteries et de fromages. Fuyez les enseignes clinquantes et les musiques frelatées. Choisissez de préférence un estaminet à l'écart, parmi les noisetiers. De là, vous ne serez plus qu'à un jet de pierre de la Wienerwald, cette fameuse « forêt viennoise » que vous aurez aperçue depuis le hublot de l'avion. C'est dans cet écrin, devant le large panorama de Bellevue Höhe, que le docteur Freud, le 24 juillet 1895, eut une révélation : « le secret du rêve ». À nous de vous livrer celui de Vienne. Cette ville est tout, sauf ennuyeuse.

Calendrier des événements
à Vienne

Votre choix est fait, vous partez à Vienne. Reste à ajuster vos dates... Voici le programme des festivités qui vous permettra de cibler au mieux votre séjour en fonction de vos envies.
La capitale autrichienne est le lieu de fêtes grandioses, bals et concerts... Autant d'occasions d'apprécier la ville dans un contexte très original et particulièrement animé.

Janvier

Concert du Nouvel An
(1er janvier)
Le Concert du nouvel an de l'Orchestre philharmonique de Vienne est un concert qui a lieu traditionnellement chaque année le matin du 1er janvier dans la Goldener Saal (Salle dorée) du Musikverein à Vienne. Il est diffusé à travers le monde pour une audience estimée à 1 milliard de personnes dans 44 pays. Y participer relève donc de l'exploit ! La musique qui y est jouée est principalement celle de la famille Strauss.

Festival Résonances à Vienne
(à partir de la mi-janvier)
Une série de concerts sur la musique du Moyen Âge à l'époque baroque.
Pour en savoir plus, voir le site : www.konzerthaus.at

Bal de l'Opéra
(31 janvier)
Sans doute le plus huppé, le plus médiatique et le plus cher de tous les bals (l'entrée coûte 230 €).
Sommet incontesté de la saison mondaine, rendez-vous international du glamour, il réunit sous les flashes des paparazzi chefs d'État et têtes couronnées, barons de l'industrie et étoiles montantes de la bourgeoisie d'affaires.
Cette débauche de laquais en livrée, de seaux à champagne et de riches princesses en froufrous lamés n'est pas du goût de tous : boudée par la vieille noblesse européenne qui lui préfère le bal du palais Schwarzenberg, la fête à l'Opéra passe pour une « obscénité » aux yeux de quelques contestataires.

Mars

Marché de Pâques au château de Schönbrunn
Une très agréable promenade gourmande.
Œufs de Pâques, artisanat et gourmandises... Le marché de Pâques, niché dans le décor baroque de Schönbrunn, offre toute une panoplie de spécialités pascales du pays.

Avril

Marathon de Vienne
Fin-avril, près de 25 000 coureurs provenant de 70 nations différentes franchissent chaque année la ligne de départ du Vienna City Marathon. Ce grand événement sportif attire chaque année des centaines de milliers de spectateurs enthousiastes. Venus encourager les athlètes, ils aiment aussi prendre le pouls de la capitale autrichienne.
Un parcours de 42,195 km qui montre bien l'extrême diversité de Vienne : impériale, moderne, gaie, sportive...
De très nombreuses processions sont à suivre.

Mai-juin

Wiener Festwochen

(de début mai à fin juin)
Heureux Viennois ! Quelque
32 productions différentes en
provenance d'une quinzaine
de pays et plus de 150
représentations de toutes
sortes : musique classique,
opéra, théâtre… Site internet :
www.festwochen.at

Juin-juillet

Fête de l'île du Danube

(mi-juin)
Chaque année au mois
de juin, la Fête de l'Île du
Danube accueille quelque 2,5
millions de visiteurs. Les jeunes
autrichiens se retrouvent dans
le parc du Donauinsel pour
écouter des concerts de rock et
de pop répartis sur 20 scènes
différentes. Trois jours de fête
en plein air dans le paradis des
loisirs viennois.

Jazz Fest Wien

(fin-juin à mi-juillet)
Depuis 1991, ce festival
a su faire sa place sur la
carte mondiale du jazz. Des
sons blues, soul et gospel
envahissent des salles de
concert prestigieuses, dont le
Staatsoper, l'opéra national,
mais aussi des scènes en
plein air, l'Hôtel de Ville, les
théâtres… Des chanteurs de
diverses nationalités sont à
l'affiche.
Pour plus de renseignements
voir : www.viennajazz.org

Juillet-août

Festival ImPulsTanz

Festival international de danse
contemporaine de Vienne
réunissant les plus grands

chorégraphes du monde entier.
200 ateliers de danse sont aussi
ouverts aux amateurs.
Pour en savoir plus voir le
site : www.impulstanz.at

Festival de la jeunesse et de la musique

(mi-juillet)
Les œuvres classiques sont
interprétées un peu partout
en ville par des orchestres et
chorales de jeunes musiciens.
Dans chaque discipline, des
prix sont décernés aux talents
les plus prometteurs.

Décembre

Bal de L'Empereur

(31 décembre)
Le bal a lieu dans les
somptueux salons du palais de
la Hofburg.
Robe longue et smoking sont
obligatoires pour cette soirée
magique, qui fait revivre les
grandes heures de la cour des
Habsburg.
Dans les salles aux lambris
dorés, sous les lustres de
cristal, des laquais en costume
servent le dîner.
À minuit, lorsque
« Pummerin », la grosse
cloche de la cathédrale
St-Étienne, annonce le
passage à la nouvelle année,
le couple impérial se rend
dans le Festival Hall, la plus
prestigieuse des salles, pour
présenter ses vœux aux
convives et assister au spectacle
donné par les chanteurs et
danseurs de l'Opéra National.

EXPOSITIONS TEMPORAIRES & PERMANENTES

Pour connaître le programme des expositions
temporaires et permanentes, vous pouvez consulter
le site **www.austria.info**, le site de l'OT de Vienne :
www.vienne-autriche.info, ou bien directement les
sites des musées.
• Belvédère : www.belvedere.at
• MAK : www.mak.at
• Leopold Museum : www.leopoldmuseum.org/
• Mumok : www.mumok.at/
• AzW : www.azw.at/
• Haus der Musik : www.hdm.at, etc.
Et pour les concerts, vous pouvez vous informer sur
les sites des divers établissements.
Voir notre rubrique Sortir mode d'emploi p. 130-131.

Partir à Vienne

Le climat

Il est continental. Les étés, autrement dit, sont chauds et plutôt humides (à Vienne, il tombe en moyenne 80 mm d'eau en juillet), tandis que les hivers sont rigoureux et traînent en longueur. Les températures descendent parfois jusqu'à – 20 °C. Évitez, si vous le pouvez, les périodes de vacances scolaires autrichiennes : juillet-août (3/7-4/9) et surtout Pâques (23/3-6/4 ou 15/4-25/4), qui attirent des flots de touristes au château de Schönbrunn et au palais de la Hofburg. Du reste, l'été n'est pas nécessairement la meilleure saison pour visiter la capitale : certains musées sont fermés, l'opéra fait relâche, tout comme l'école d'équitation et le chœur des petits chanteurs. Choisissez de préférence les demi-saisons – courtes mais charmantes – et, si vous ne craignez pas le froid, le temps de l'Avent :

sous la neige, Vienne est résolument magique.

Comment partir ?

Pour un séjour de courte durée, l'avion est, de loin, la meilleure formule, d'autant que si vous programmez votre voyage plus d'un mois à l'avance, vous pourrez bénéficier de tarifs réduits.

En avion

Trois compagnies aériennes se partagent désormais le ciel entre Vienne et Paris/Charles-de-Gaulle. **Austrian**, la compagnie nationale autrichienne, et **Air France** assurent toutes deux plusieurs vols réguliers, quotidiens et directs d'une durée de 2 heures et proposent des tarifs

promotionnels. La compagnie low cost **Niki** décolle de Paris à 8h50 et 22h et atterrit à Vienne à 6h20 et 19h30 (retour de Vienne à 14h, arrivée à Paris à 8h10 et 21h20), tous les jours sauf le samedi. Les tarifs les plus avantageux sont soumis à des conditions particulières d'achat (les billets ne sont ni modifiables ni remboursables). Certains tarifs vous permettent de bénéficier de services gratuits : assurance rapatriement, assistance téléphonique 24h/24 en cas de difficulté sur place, etc. Pour un week-end, adoptez le format bagage de cabine : vous pourrez ainsi enregistrer à la dernière minute, une demi-heure avant le décollage. Pour les bagages de soute, sachez que le poids autorisé est de 20 kg sur Austrian (23 kg sur Air France) et qu'en cas de surcharge, il vous faudra acquitter un supplément de 13 € par kg.

Attention : tous les vols à destination de Vienne sont non fumeurs. La compagnie Austrian dessert également Vienne au départ de Nice, Lyon, Strasbourg et Genève.

Air France
☎ 3654, www.airfrance.fr.
Air France à Vienne
1, Kärntner Straße 49
☎ 502 222 400, bureau
ouv. lun.-ven. 9h-17h (entrée par la Walfischgasse).

Austrian
☎ 0 820 816 816
www.aua.com/fr/fra
Austrian à Vienne
1, Hegelgasse 21
☎ (0)51789, bureau
ouv. lun.-ven. 8h-18h
www.aua.at

Niki
☎ 0811 025 102 (France) ou
0820 73/800 (Autriche)
❸ (00431)70126 470
www.flyniki.com
Infos sur les vols
(aéroport de Vienne) :
☎ 7007 222 33.

En car
Confortables, très économiques et relativement ponctuels, les bus de la compagnie Eurolines assurent une liaison entre Paris (gare routière de Gallieni/Bagnolet), Lille, Metz, Lyon, Marseille, etc., et la capitale autrichienne. Le billet aller-retour coûte environ 160 €. Départ les mer., ven., et dim. de Paris (14h), arrivée à Vienne (station de métro Erdberg) à 7h, retour les lun., mer. et ven. (départ de Vienne à 19h30, arrivée à Paris à 12h). Renseignements et réservations : 28, av. du Général-de-Gaulle, 93541 Bagnolet (M° Gallieni), ☎ 08 92 69 52 52
www.eurolines.fr.

Par le train
Un train assure quotidiennement la liaison entre Paris (gare de l'Est) et Vienne (gare de l'Ouest ou **Westbahnhof**, en abrégé Westbf) via Salzbourg et Linz. Le voyage, assez long, dure plus de 13 heures. Le train de nuit 263 quitte la gare de l'Est à 17h17 et arrive à Vienne à 8h30. Dans le sens Vienne-Paris : départ de Vienne à 20h34, arrivée à Paris à 10h24. Si vous résidez dans le Sud-Est de la France, prenez plutôt le Nice-Vienne (gare du Sud ou **Südbahnhof**, en abrégé Südbf) avec changement à Padoue/Padova. Le prix du billet est élevé – un aller simple Paris-Vienne en couchette seconde classe ne coûte pas moins de 197 € – mais les paysages sont superbes (notamment entre Salzbourg et St Pölten). Dans certaines agences comme Wasteels, Transalpino ou Der voyages, les moins de 26 ans peuvent bénéficier de tarifs avantageux sur l'ensemble du trajet.
SNCF
En France
☎ 36 35
www.voyages-sncf.com
À Vienne
7, Stollgasse 5A
☎ 523 43 53.

De l'aéroport au centre-ville

En bus
Le Vienna International Airport (Schwechat) est situé à 19 km au sud-est de Vienne. Toutes les 30 min., un bus assure la navette entre l'aéroport et Schwedenplatz, desservie par les lignes de métro U1 et U4. Durée du trajet : 20 min. La première

navette part à 5h30 du matin, la dernière à minuit. Le ticket s'achète dans le bus, auprès du chauffeur, et coûte 6 €, bagages inclus (le tarif est un chouïa plus intéressant si vous prenez d'emblée un aller-retour). Certains bus vont directement à la gare du Sud (**Südbahnhof**, environ 30 min de trajet) et à la gare de l'Ouest (**Westbahnhof**, 35 min). Renseignements : ☎ 93 000 23 00.

En train
Le train rapide (**Schnellbahn**, « **S7** ») qui relie l'aéroport à la gare du Sud est moins onéreux que le bus : le billet ne coûte que 3 €. Notez cependant qu'il n'y a qu'une navette par heure et que le trajet dure 27 min. Premier départ à 6h05, dernier départ à 22h17. Attention : si vous avez opté pour un forfait du type *Netzkarte 72 Stunden Wien* (p. 36), n'oubliez pas d'acheter une prolongation de parcours (1,50 €), l'aéroport étant situé en dehors de la communauté urbaine de Vienne. Depuis 2004, le **CAT** (« City Airport Train »), pratique et ultra-rapide, relie l'aéroport à la station de métro Wien-Mitte/Landstraße en 16 min au prix de 9 € (16 € l'aller-retour) deux fois par heure entre 5h38 et 23h08. Renseignements : www.cityairporttrain.com

En taxi
Plus coûteux, les taxis qui stationnent devant le hall des arrivées de l'aéroport (☎ 7007 27 17 ou 7007 35 910) vous déposeront en 30 à 45 min dans le 1er arrondissement. Comptez environ 30 € pour une course aéroport - centre-ville. Enfin, pour jouer les VIP ou voyager confortablement, il existe aussi un service de minibus express avec air conditionné : le *Jetbus Airport Shuttle* (☎ 70 73 100, 📠 70 73 100 13).

Louer une voiture

Elle ne vous sera guère utile si vous restez dans la capitale. Vous risqueriez fort de passer votre temps à jongler avec les *Einbahnstraßen* (rues à sens unique) et les *Kurzparkzonen* (zones à stationnement limité). En revanche, si l'envie vous prend de remonter les berges du Danube jusqu'aux vignobles de la Wachau ou d'explorer les châteaux et les monastères de l'arrière-pays viennois, n'hésitez pas : sur présentation de votre permis de conduire et de votre passeport, vous pourrez louer une voiture première catégorie à 116 € le week-end (de vendredi 12h à lundi 12h, 1 000 km inclus, assurances non comprises). Le port de la ceinture de sécurité est obligatoire et les enfants de moins de 12 ans doivent voyager à l'arrière. La vitesse est limitée à 50 en ville et à 130 km/h sur autoroute. Prix de l'essence : 1,23 € le litre de *Super plus/ 98 oktan* et 1,12 € le litre d'*Eurosuper/95 oktan bleifrei* (sans plomb). Il y a des agences de location à l'aéroport (dans la zone ouest du hall d'arrivée, ouv. lun.-ven. 6h-22h30) ainsi que dans le centre-ville.

Avis
Laaer-Berg-Strasse 43
☎ 587 62 41
ou (01)7007 32 700
Lun.-ven. 7h-18h,
sam.-dim. 8h-13h.

Budget
Hilton Airterminal
Landstraßer Hauptstraße, 2
☎ 714 65 65
📠 714 72 38.

Europcar
Schubertring 9
☎ 71 46 717
📠 71 21 279.

Hertz
Kärntner Ring, 17
☎ 512 86 77
📠 512 50 34
Lun.-ven. 7h30-18h30,
sam.-dim. 8h-16h.

Formalités

Les ressortissants des pays membres de l'Union européenne et de la Confédération helvétique, y compris les mineurs de moins de 16 ans, doivent être en possession d'une carte d'identité ou d'un passeport périmé depuis moins de cinq ans. Pour les citoyens des autres pays, un passeport valide, voire un visa, est exigé. En cas de doute, renseignez-vous auprès du consulat d'Autriche.

La douane

Cosignataire des accords de Schengen, l'Autriche n'effectue qu'un contrôle de routine aux frontières pour les ressortissants de l'Union européenne. Notez toutefois que l'importation d'armes à feu, de munitions et d'armes blanches est interdite. Et n'oubliez pas,

S'INFORMER AVANT DE PARTIR

Maison de l'Autriche
(Office national autrichien du tourisme)
BP 475, 75366 Paris
Cedex 08
Renseignements par téléphone ou par courrier
☎ 00 11 69 10 60
www.austria.info/fr et vacances@austria.info

Institut culturel autrichien
17, av. de Villars
75007 Paris
☎ 01 47 05 27 10.

Ambassade d'Autriche
6, rue Fabert,
75007 Paris
☎ 01 40 63 30 63.

Consulat d'Autriche
17, avenue Villars
75007 Paris
☎ 01 40 63 30 90.

si vous voulez emmener votre chien ou votre chat, de vous munir de son certificat de vaccination antirabique, établi par un vétérinaire au moins trente jours avant le passage de la frontière.

L'euro

Depuis le 1er janvier 2002, l'unité monétaire n'est plus le schilling autrichien mais l'euro (prononcez « oïro ») divisé en 100 cents (prononcez « tsennt »). S'il vous reste quelques schillings d'un précédent voyage, pas de panique ! Vous pourrez les échanger au cours légal (100 schillings = 7,2673 €) à l'Oesterreichische Nationalbank, Otto-Wagner-Platz 3, M° Schottentor.

Budget

Vienne serait 15e au hit-parade des villes les plus chères du monde. L'hôtel et le transport une fois payés (600 €), il vous faudra compter, pour deux jours, sur un budget de 180 € env. à dépenser sur place en restaurants, sorties, musées, concerts, transports, cafés, etc. Tout dépend, évidemment, du choix des établissements et de la fréquence de vos arrêts dans les pâtisseries. Comptez 20 € pour un déjeuner décent avec boisson, 10 € pour une entrée de musée, 12 € pour un coupon de métro forfaitaire (72 heures), 6 € pour un cocktail dans un bar de nuit, entre 18 et 65 € pour une place de concert. Si vous vous contentez d'un sandwich sur le pouce et de quelques menus achats à l'extérieur du 1er arrondissement, vous pourrez vous en sortir avec 50 € par jour.

Santé

Aucun vaccin n'est exigé. Seule précaution : soyez vigilant lors de vos excursions en forêt (il y traîne parfois quelques tiques contagieuses) et dans le parc de la Lobau (moustiques). Si vous suivez un traitement, songez à emporter suffisamment de médicaments dans vos bagages car vous n'êtes pas assuré de retrouver les mêmes à Vienne. En cas de panne, vous pouvez toujours vous adresser à l'Internationale Apotheke (Kärntner Ring 17, ☎ 512 28 25, ouv. lun.-ven. 8h-18h, sam. 8h-12h). Pensez aussi, avant de partir, à demander à votre caisse d'assurance maladie la Carte européenne d'assurance maladie. En tant que ressortissant d'un pays membre de l'Union européenne, vous aurez droit, à votre retour, au remboursement des frais médicaux que vous aurez pu engager en Autriche.

L'heure locale

Il n'y a pas de décalage horaire entre Vienne et Paris. Été comme hiver, l'Autriche adopte les mêmes horaires que la France.

Le voltage

Le courant est le même qu'en France.
220 volts, fréquence 50 Hz et les prises sont identiques.

JOURS FÉRIÉS

Le Nouvel An, l'Épiphanie (6 janvier), le lundi de Pâques, le 1er Mai, l'Ascension, le lundi de Pentecôte, la Fête-Dieu, l'Assomption (15 août), le 26 octobre (fête nationale), la Toussaint, l'Immaculée Conception (8 décembre), les 25 et 26 décembre.

Les délices de
la pâtisserie viennoise

On aurait tort de croire que seules les mamies dodues prennent le temps de savourer à quatre heures une pyramide de mousse aux myrtilles ou une meringue rehaussée de noisettes : à Vienne, les gâteaux sont l'affaire de tous. Surtout s'ils sont inondés de volutes de crème fouettée et de coulis de cacao. Voici quelques joyaux d'un art quasiment baroque, dont la virtuosité confine au vertige.

Ingrédients
et influences

Les pâtissiers viennois, fidèles à la tradition, ont une nette préférence pour les produits riches — beurre fondu, purée de châtaignes, compote de prunes, graines de pavot… — et pour les combinaisons élaborées, inspirées de recettes tchèques ou hongroises. C'est le cas des *Palatschinken* : ces succulentes crêpes, fourrées de fromage blanc, de chocolat ou de noisettes pilées, doivent beaucoup à l'ingéniosité de Karoly Gundel, restaurateur à Budapest dans les années 1900. Les brioches que l'on appelle *Buchtel* viennent, quant à elles, directement de Bohême, tout comme les *Powidltascherl*

à la confiture de quetsches, copieusement enrobés de pâte ou de pommes de terre. Ce genre de dessert roboratif à souhait est très apprécié lorsque l'hiver se fait rude.

Strudel

Autre fierté tout aussi calorifique de la pâtisserie autrichienne, le strudel, qui figure au menu de tous les restaurants viennois, est un feuilleté en rouleau, farci de pommes et de raisins

secs, saupoudré de cannelle et de sucre. Il est délicieux quand il est servi tiède et quand la pâte est aussi fine que du papier à cigarettes. Sachez qu'il existe plusieurs variantes intéressantes ; le chausson, en effet, peut être fourré de quetsches, d'airelles mais aussi de fromage blanc

Habsbourg-Lorraine en 1911, et qui continue de vendre les fameuses *kandierte Veilchen* (violettes en sucre candi) que l'impératrice Sissi aimait tant. Mais il est un luxe encore plus bourgeois auquel les Viennois ne renonceraient pour rien au monde : déguster une *Sachertorte* chez Sacher.

(*Topfenstrudel*). Parmi les autres spécialités, il faut goûter le *Guglhupf*, qui a la forme d'un volcan et qui peut être marbré, et le *Kaiserschmarrn*, qui fut l'un des plats favoris de l'empereur François-Joseph. Il s'agit d'une grosse omelette sucrée, avec raisins secs et compote, brisée à la fourchette.

À l'heure du goûter

Nombreux sont les Viennois qui trompent leur faim en s'octroyant une petite pause dans un café ou, mieux, dans une *Konditorei* (pâtisserie). Certaines d'entre elles sont de véritables temples élevés au culte de la gourmandise et proposent un choix étourdissant de gâteaux. C'est le cas, entre autres, d'Anton Gerstner (Kärntner Straße 13-15), « Confiseur de la Cour » depuis 1873, qui a eu le privilège de confectionner les desserts du buffet de mariage de Zita de Bourbon-Parme et de Charles de

Sachertorte

En 1832, un dénommé Franz Sacher dut remplacer au pied levé son chef malade qui était chargé d'un banquet à la cour du prince Metternich. Le jeune apprenti cuisinier créa pour l'occasion un gâteau au chocolat fourré de confiture d'abricots, nappé d'un glaçage tout aussi chocolaté. Le succès fut tel que toutes les pâtisseries de Vienne se mirent bientôt à fabriquer des *Sachertorte*. Pendant près d'un quart de siècle,

un conflit opposa Sacher à son rival Demel au sujet de l'exclusivité de la recette, dont le secret, jamais dévoilé, réside dans la proportion des trois chocolats nécessaires au glaçage. En 1965, la justice finit par trancher en faveur de Sacher qui continue donc d'expédier dans le monde entier, sous le label *Original Sachertorte*, son légendaire gâteau.

LE B.A.-BA DE LA *SACHER*

Il vous faut 150 g de chocolat noir, 150 g de beurre doux, 6 œufs, 120 g de farine, 100 g de sucre en poudre et de la confiture d'abricots. Faire fondre le chocolat au bain-marie ; ajouter, hors du feu, le beurre en morceaux, le sucre, les jaunes d'œufs, la farine et les blancs d'œufs en neige. Faire cuire à four moyen, 30 min, dans un moule beurré et fariné, laisser refroidir et étaler la confiture (tiédie). Glaçage : faire fondre 120 g de chocolat et 150 g de sucre dans 1/8 l d'eau à feu doux, remuer jusqu'à l'obtention d'une crème. Napper le gâteau en lissant cette crème avec une spatule métallique. Servir froid.

Vienne 1900 :
le style Sécession

De 1896 à 1906, la capitale autrichienne fut secouée par un formidable vent de modernité et de contestation. Une poignée de peintres, de designers et d'architectes dissidents, attentifs aux avant-gardes de l'art à l'étranger, s'associèrent pour conjuguer leurs talents et livrer bataille contre le conservatisme ambiant. À eux seuls, ils réussirent à faire de Vienne un vrai bouillon de culture ainsi qu'un prodigieux laboratoire de formes nouvelles.

Contre l'académisme

Dès le milieu du XIXe s., de riches négociants et des industriels libéraux avaient fait aménager, à l'emplacement des fortifications, un « Ring » – une ceinture de boulevards bordée de bâtiments colossaux sur 4 km de long : hôtel de ville, salles de concert, académies, théâtres, palais privés, édifiés à la gloire du progrès et de la prospérité, dans un style assez prétentieux, qui accumulait les emprunts à l'Antiquité grecque, mais aussi au gothique et à la Renaissance. Dix-neuf artistes, écœurés par ce pot-pourri dépourvu de toute originalité, décidèrent de faire *sécession* et d'élaborer une esthétique nouvelle sous un autre mot d'ordre : « À l'époque son art, à l'art sa liberté. »

Gustav Klimt

Le peintre Gustav Klimt (1862-1918) fut l'un des premiers à s'insurger contre l'art officiel et engoncé du Ring. Il fit scandale en peignant pour l'université de troublantes femmes nues et des silhouettes extasiées ou difformes comme celles qui figurent sur la fameuse *Frise Beethoven*, aujourd'hui exposée au pavillon de la Sécession (p. 59). En 1903, Klimt s'orienta vers un univers d'arabesques sensuelles et de femmes campées sur un fond d'or, qui rappelle les mosaïques byzantines de Ravenne, tel le *Baiser* du Belvédère supérieur.

Otto Wagner

Wagner, lui, avait déjà 30 ans lorsqu'il rompit avec l'académisme ambiant et réussit à s'imposer, en deux ou trois projets, comme l'un des promoteurs de l'architecture moderne. Entouré de brillants collaborateurs tels Hoffmann, Plecnik et Olbrich, il conçut des stations de métro (p. 60-61), des ponts, des tunnels et des écluses, édifia deux superbes immeubles sur la Linke Wienzeile (p. 59), ainsi que l'admirable Caisse d'épargne de la Poste (p. 51). Wagner affectionnait les formes épurées, les murs nus ainsi que les armatures visibles…

La « dictature du carré »

Josef Hoffmann, qui enseignait l'architecture et la décoration intérieure à l'École des arts appliqués, était lui aussi un pilier de la Sécession viennoise. Du sanatorium de Purkersdorf à la villa Primavesi (Gloriettegasse, 18), il développa un style géométrique fondé sur un petit thème omniprésent : le carré. Ce module décoratif, Koloman Moser le reprit à son compte dans les illustrations de la revue *Ver Sacrum* (« Printemps sacré ») et dans les multiples articles produits par les Wiener Werkstätte, ateliers spécialisés que Moser et Hoffmann fondèrent en 1903 avec l'appui d'un

industriel fortuné. Ces « WW », qui eurent très vite l'occasion de prouver leur savoir-faire dans le domaine de la reliure et de l'ébénisterie, s'efforçaient d'intéresser un large public, mais seuls quelques privilégiés purent se permettre d'acquérir leurs pièces…

Une génération en marge

Vers 1906, certains artistes se démarquèrent de la Sécession pour se tourner vers des recherches moins ornementales. C'est le cas d'Oskar Kokoschka, alias « O K » (1886-1980), qui fit une entrée fracassante sur la scène viennoise en signant des portraits plutôt expressionnistes. Ou celui d'Egon Schiele, considéré comme le fils spirituel de Klimt et le dernier représentant de la Sécession : cet enfant terrible laissa à sa mort, à l'âge de 28 ans, une œuvre crue et convulsive, qui prenait le risque d'explorer des sujets encore tabous. Adolf Loos (1870-1933) n'avait pas froid aux yeux, lui non plus. À son retour des États-Unis, cet architecte se détourna des volutes de l'Art nouveau pour choisir une voie rigoureuse, à l'image de l'immeuble nu et austère qu'il bâtit sur la Michaelerplatz (p. 52).

LA VILLA D'OTTO WAGNER

La résidence d'été de Wagner, même si elle est un peu excentrée, vaut bien un petit détour. Restaurée par le peintre Ernst Fuchs qui en est aujourd'hui le propriétaire, elle résume assez bien les idées maîtresses d'Otto : des volumes sobres, des lignes symétriques et une ornementation stylisée, en parfait accord avec la devise, inscrite sur le fronton, qui veut que « la nécessité soit la seule maîtresse de l'art ».
Otto-Wagner-Villa, 14, Hüttelbergstraße 26, bus 148 ou 152 ; lun.-ven. 10h-16h, sam. sur rendez-vous, ☎ 914 85 75.

Saveurs viennoises

Championne de l'écologie, l'Autriche défend avec passion ses produits bio et fermiers, qui ont de quoi réjouir les papilles les plus exigeantes : on trouve toujours sur le marché plus de 60 variétés de pommes de terre, et dans la seule région du Waldviertel, ce sont 750 paysans qui continuent de cultiver pavot, cumin et fines herbes. Avec ses fromages à l'ancienne et ses jambons parfumés, la cuisine du terroir a donc encore de beaux jours devant elle.

Épicuriens et gloutons

Au XVIIIe siècle déjà, le Viennois passait pour un ami de la bonne chère. Les voyageurs de l'époque le décrivent replet et débonnaire : « Pour tout ce qui regarde les plaisirs de la vie, les Viennois sont plus avancés que les habitants des autres villes. Il leur faut des poulets rôtis et des feux d'artifice, ou des pèlerinages et des poulets rôtis. Ils se comportent comme s'ils

n'avaient été créés par Dieu que pour manger. Au Prater, le dimanche, c'est un véritable spectacle de voir à quel point ils mangent de bon cœur leur poulet rôti tout en se promenant ». On vous rassure tout de suite : la gastronomie viennoise ne se résume pas pour autant au seul *Backhendl*…

Une invitation au voyage

La *wiener Küche* (« cuisine viennoise ») est même assez variée. Elle doit cette diversité aux recettes et aux ingrédients glanés dans les marmites des anciens pays de la monarchie danubienne. Sur les menus, l'oie rôtie au chou rouge à la polonaise voisine avec la soupe aux haricots d'origine serbe, les boulettes de viande piquante à la mode slovène et le goulasch au paprika d'inspiration hongroise. Ce ne sont pas des spécialités légères à proprement parler mais, depuis une dizaine d'années, une jeune génération de cordons bleus, lasse des sauces épaissies à la farine et autres compositions rayonnantes de lard et de beurre, privilégie les produits frais du terroir (*aus heimischem Anbau*) et redécouvre les saveurs de la nature : céleri, estragon, baies de genièvre, moutarde des champs, salade de roquette… C'est la « nouvelle cuisine viennoise ».

Petits pains

En Autriche, la boulangerie traditionnelle se porte plutôt bien. À Vienne, où un petit musée lui est consacré (Alte Backstube, p. 90), on prétend que l'on peut trouver autant de pains différents que de jours dans l'année. Il est vrai qu'à côté du basique *Semmel*, pain rond de farine blanche, croustillant, parfois constitué de quatre quartiers (*Kaisersemmel*), il existe une infinité de formes et d'ingrédients : longs salés (*Salzstangerl*), boules au pavot, cumin ou sésame, grosses miches de campagne cuites au feu de bois, à la croûte brune. Il en est aussi de très élaborés comme l'*Erdäpfelbrot* aux pommes de terre écrasées et aux raisins de Smyrne, le *Kletzenbrot* au rhum ou encore le *Birnenbrot* relevé de noix, noisettes et poires.

Tafelspitz

Elle se décline autour de trois points forts : les plats de gibier, dont le cuissot de chevreuil aux champignons frais et griottes ; les poissons d'eau douce, tels le sandre du lac de Neusiedl (*Fogosch*) ou le filet de truite pêchée comme au temps de l'empereur dans les torrents de montagne ; et enfin la viande de bœuf. C'est sans doute là où la *wiener Küche* excelle véritablement. Certains restaurants proposent chaque jour plusieurs plats à base de bœuf, accompagnés de roboratives *Knödel*, boulettes de semoule, de mie de pain ou de pâte. Oubliez donc la fameuse *wiener Schnitzel* – cette escalope de porc panée

n'a guère d'intérêt – et optez plutôt pour le *Tafelspitz*, une spécialité légendaire qui fut le mets favori de François-Joseph : il s'agit d'un aloyau de bœuf, bouilli à la façon du pot-au-feu, découpé en tranches, servi avec des pommes de terre sautées, une purée de raifort aux pommes et une sauce à la ciboulette.

FAST-FOOD À LA VIENNOISE

« Würstelstand » : c'est le nom que l'on donne à ces petits kiosques où l'on peut manger sur le pouce des saucisses bouillies (*Burenhäutl*), grillées (*Bratwurst*), longues et légèrement fumées (*Frankfurter*), épicées (*Klobassi*) ou fourrées de fromage brûlant (*Käsekrainer*) et traditionnellement servies avec des frites, de la moutarde forte ou douce, du Ketchup, des cornichons, un pain et une serviette en papier. Ce n'est pas franchement diététique, mais c'est si commode en hiver : on trouve des *Würstelstände* presque à tous les coins de rues et certains restent ouverts très tard, bien après la sortie des théâtres.

Vienne
au naturel

Les Viennois aiment la nature et sont très soucieux de leur environnement. Avec 34 000 jardinets, 7 500 ha de bois et 1 620 ha de parcs publics, la capitale autrichienne figure en bonne place au hit-parade des cités vertes. Rien ne saurait manquer aux fanas de flore et de plein air : des pistes cyclables sur les anciens chemins de halage, des plages le long du Danube et une agréable forêt où l'on vient faire de la luge en famille, la Wienerwald.

De parc en parc

Le Volksgarten, le Burggarten et le Stadtpark, tous trois situés en plein cœur de la ville, sont autant de havres de paix appréciés des citadins pour leurs allées bordées d'essences rares et leurs jolis parterres fleuris. Le premier, face au Parlement, est du genre « symétrique à la française ». Le second, coincé entre l'Opéra et la Hofburg, est rafraîchissant à souhait. Le troisième, desservi par le métro (Stadtpark et Stubentor), est jalonné de sentiers et de statues de musiciens célèbres. Mais il y en a d'autres, comme l'Augarten (p. 71), le Prater (p. 70), le Belvédère (p. 61) et surtout Schönbrunn (p. 62-63), dont le grand parc est agrémenté de fontaines, de volières et d'une roseraie. Moins connu des touristes, le Pötzleinsdorfer Schloßpark, au terminus du tram 41, séduira les enfants, avec ses toboggans, ses bacs à sable et ses balançoires.

La Donauinsel

Pour réguler les crues et parer aux inondations dévastatrices du Danube, les urbanistes ont rectifié le cours du fleuve et aménagé, entre le Danube proprement dit et le canal de dérivation (« Nouveau Danube »), une île artificielle : la Donauinsel.

Cette longue bande de terre en forme de spaghetti a été transformée (1972-1987) en parc de loisirs, lesquels loisirs ont été répartis en différentes zones d'activités : port de plaisance avec surf et pédalos dans la partie nord ; école de plongée, bassins peu profonds pour les enfants et espace « patins à roulettes » dans la partie centrale ; vélo, plages et aires barbecue au sud. En été, ce sont plus de 100 000 Viennois qui viennent s'adonner aux joies de la baignade et du bronzage dans ce « paradis » plutôt balisé, où rien n'est laissé au hasard. En hiver, on y pratique le ski de fond.

La Lobau

Si la Donauinsel vous semble trop synthétique et trop ordonnée, sachez qu'il existe, à 20 min de là, dans le 22e arrondissement, un lacis de bois, de prairies humides, d'étangs et de roselières, aménagé en parc national, la Lobau. Certes, il y a bien quelques pistes cyclables qui permettent de traverser le site en 1h30 (circuit de 15 km au départ de Biberhaufenweg), mais la nature y est encore relativement sauvage et miraculeusement préservée.

On y marche tranquillement, on se baigne dans les bras morts du Danube, à deux pas des loutres, des tortues et de 90 espèces différentes d'oiseaux (bruants, loriots…). Au fond, la Lobau est aux antipodes de la Donauinsel, un biotope fragile, qui a toujours été le domaine du spontané et de l'anticonformisme. Naturiste depuis plus d'un siècle, ce petit coin de verdure est aussi le fief des écolos, des végétariens, des non-fumeurs et des sociaux-démocrates en mal d'air pur.

Le secret du rêve

Enfilez vos chaussures de marche et votre petit loden kaki gansé ton sur ton : un bon bol de chlorophylle vous attend dans la Wienerwald, la « forêt viennoise », dont les douces collines et les pentes boisées ceinturent les 19e, 17e, 14e et 13e arrondissements. Une route panoramique, la Höhenstraße, relie quatre des nombreux belvédères de ce massif : Hermannskogel (543 m), Kahlenberg (484 m), Cobenzl et Leopoldsberg. Il existe également, parmi les hêtres et les chênes rouvres, une multitude de chemins de randonnée, plus paisibles les uns que les autres, comme celui qui va de Nußdorf à Kahlenberg, et deux ou trois lignes de bus, pour ceux qui seraient fatigués d'arpenter les sous-bois.

LAINZER TIERGARTEN

En 1882, l'empereur François-Joseph fit bâtir un petit castel – la « villa Hermès » – pour son épouse, qui ne supportait plus l'oppressante Hofburg. Plus que la déco (assez chargée) du castel, c'est la nature alentour qui plut à Sissi. Aujourd'hui, le terrain de chasse de la cour impériale, aménagé en parc public, constitue une enclave de 25 km² de collines boisées et d'air pur dans le 13e arrondissement. De la villa, il n'y a donc qu'un pas à faire pour être en pleine forêt, parmi les cerfs et les chevreuils. Vous y trouverez 85 km de chemins de randonnée et un beau point de vue depuis la Hubertuswarte (508 m).

Hermesstraße, tram 62 et bus 60b
☎ 804 13 24
Mar.-dim. 10h-18h (avr.-sept.);
ven.-dim. 9h-16h30 (oct.-mars).

Les maîtres du cristal
et de la porcelaine

À en juger par les vitrines remplies de carafes gravées et de petits lipizzans en biscuit, on voit bien que les Viennois ont une affection particulière pour les objets en verre et en pâte de porcelaine. La réputation de cette *Porzellan*, aujourd'hui fabriquée avec du kaolin tchèque, du feldspath scandinave et du quartz allemand, a longtemps dépassé les frontières de la ville. Pendant des lustres, la « Wiener Manufaktur » fut même la seconde fabrique de porcelaine d'Europe, après Meissen.

ils réalisèrent des objets de belle facture, dans le goût de la Renaissance italienne et allemande. En 1899, le principal concurrent de Lobmeyr, Bakalowits, eut l'idée de s'adresser à des artistes (Josef Hoffmann, Koloman Moser) et à des élèves de l'École des arts appliqués de Vienne pour concevoir formes

Lobmeyr et Bakalowits

Dès la première moitié du XIXᵉ s., les cristalleries de Silésie et de Bohême fournissaient les intérieurs viennois en *Ranftgläser* (verres à pied) et en ravissants *Freundschaftsbecher* (gobelets), tout en s'essayant à de nouveaux procédés dans le domaine de la taille, de la coloration et de la composition

du verre. Au milieu du siècle, elles avaient déjà accompli d'étourdissantes prouesses techniques. Très vite, la firme J. & L. Lobmeyr de Vienne s'associa avec trois manufactures de Bohême : les Riedel, spécialisés dans le verre pressé et les blocs de verre coloré, les Lötz et les Meyr, célèbres pour l'éclat et la parfaite transparence de leurs créations. Ensemble,

et motifs. À son tour, Lobmeyr se lança dans l'aventure, quelques années plus tard. Ce fut le début de l'âge d'or du verre viennois.

Des opalines zébrées

Au total, des centaines de modèles différents furent exécutés en Bohême, entre 1910 et 1928, d'après des cartons de Kolo Moser et de J. Hoffmann, qui avait une nette préférence pour l'opaline translucide à reflets bleutés, rehaussée d'or. Tous deux mettaient en application les principes des Wiener Werkstätte (p. 12-13) en dessinant, pour une clientèle aisée, des vases à minces filets noirs, des cruches zébrées de larges bandes, qui se distinguaient par leur grâce, leur originalité et leur décor résolument géométrique. Les amateurs les appréciaient pour leur style avant-gardiste. Bakalowits, de son côté, déclinait les décors en fonction des catégories de prix : *violette, rosaline* et *olympia* étaient destinées au grand public, *papillon cobalt* à la bourgeoisie moyenne ; les verres les plus chers portaient des décors à « phénomènes ».

Swarovski

Pendant ce temps, Daniel Swarovski (1862-1956), qui s'était établi au Tyrol depuis 1895, avait commencé d'expérimenter de nouvelles techniques pour tailler le cristal. Vers 1930, il breveta une méthode permettant d'incruster les pierres dans les textiles, qui allait bientôt révolutionner le monde de la mode, du bijou et de l'accessoire. En 1950, Manfred Swarovski mit au point, avec

Christian Dior, un cristal aux reflets irisés : Aurore Boréale, « AB » pour les intimes, qui connut un vif succès auprès des costumiers de théâtre et des couturiers. Aujourd'hui, les Swarovski (Kärntner Str. 8) continuent d'explorer les applications de ce minéral qui se prête à toutes les audaces.

La Manufacture impériale

Plus épaisse, plus lourde et légèrement plus grise (ou plus crème) que la porcelaine allemande, la *wiener Porzellan* s'est imposée sur le marché au début du XVIIIe s., grâce à l'habileté de Claude Innocent du Paquier, qui avait réussi à débaucher des artisans de Meissen. En 1744, l'atelier fut « racheté » par Marie-Thérèse et produisit, sous le nom de Manufacture impériale et royale, de très élégantes pièces – figurines, jattes, tasses, rafraîchissoirs et autres soucoupes pour les entremets de l'empereur – que des peintres talentueux, tels Joseph Nigg et Franz Sartory, décoraient de châteaux autrichiens, de natures mortes et de scènes de genre d'après Watteau. Ce fut la belle époque de la porcelaine viennoise : 500 ouvriers travaillaient alors à la Manufacture pour honorer les commandes qui affluaient de Russie, de Pologne et de la Cour. Bientôt concurrencée par les fabriques de Bohême, elle dut fermer ses portes en 1864. Il faudra attendre le début du XXe s. pour que des entreprises privées rachètent les stocks et reprennent le flambeau.

OÙ VOIR UN VERRE ?

Les passionnés de flûtes et de porcelaines ne manqueront pas de faire un tour dans les fabuleuses réserves du MAK (p. 50), parmi les vitrines du Glasmuseum aménagé au 2e étage de J. & L. Lobmeyr (p. 117) et chez Augarten (p. 117), que l'on tient généralement pour le successeur de la Manufacture impériale et royale.

L'empire
des cafés

Ils ont fait office de salons littéraires, de salles de jeu et de bibliothèques. Ils ont joué un rôle essentiel dans la vie sociale et ont inspiré des générations d'écrivains : ce sont les cafés viennois, l'une des institutions les plus typiques de l'Europe centrale. Dans ces cénacles indolents, on ne s'accoude pas au comptoir pour ingurgiter en vitesse son petit crème : on s'assied devant une table en marbre pour prendre le temps de vivre et de lire le journal du jour.

Une boisson nouvelle

Tout aurait commencé, si l'on en croit la légende, en 1683, lorsque les troupes du roi de Pologne repoussèrent l'armée du grand vizir qui assiégeait Vienne depuis deux mois. Dans leur course précipitée, les Turcs abandonnèrent derrière eux, dit-on, 500 sacs de grains de *cháoube*. Les Viennois, croyant qu'il s'agissait d'une nourriture pour chameaux, commencèrent à les brûler. Mais un Arménien de passage, attiré par l'odeur, récupéra ce butin de guerre et reçut de l'empereur Léopold Ier, deux ans plus tard, le privilège d'ouvrir à proximité de la cathédrale un débit de boisson – *Zur blauen Flasche* (« À la bouteille bleue ») – dans lequel il proposait la consommation d'un breuvage noirâtre coupé de lait et de miel : le café.

Un art de vivre

Très vite, le café recueillit les faveurs des Viennois. Son usage devint une mode qui connut à travers les *Kaffeehäuser* un développement spectaculaire. On vit s'épanouir, sous le

règne de François-Joseph notamment, une véritable civilisation du café. Le *Kaffeehaus* était le lieu le plus adapté « pour s'informer de tout ce qui se passait de nouveau. C'était vraiment une espèce de club démocratique, accessible à tous où, en échange d'une modeste obole, n'importe qui pouvait rester des heures pour discuter, écrire, jouer aux cartes, recevoir son courrier et surtout feuilleter un nombre illimité de journaux et de revues » (Stefan Zweig). Depuis que Metternich avait interdit la vente des gazettes, les Viennois, en effet, avaient pris l'habitude de venir lire la presse dans les cafés…

Leurs habitués

Le café devint le port d'attache de l'intelligentsia autrichienne. Romanciers, polémistes, philosophes et peintres firent du Sperl (p. 94) et du Landtmann (p. 95) leur résidence secondaire. Douze années durant, l'écrivain Grillparzer passa toutes ses journées à la même table du Silbernes Kaffeehaus. Tandis que Gustav Mahler avait ses habitudes à l'Impérial, Alban Berg fréquentait, tout comme Klimt et Schiele, le Museum, surnommé « Café Nihilismus » en raison de son décor extrêmement dépouillé. Les uns griffonnaient des poèmes, les autres refaisaient le monde à coups de pamphlets. Pour d'autres, comme Altenberg, « être au café, c'était se trouver chez soi sans être à la maison ». Mais après la chute de la monarchie, de très nombreux établissements fermèrent leurs portes.

Les nouveaux cafés

L'âge d'or de la civilisation des cafés parut toucher à sa fin. La mode était au petit bar à espresso. De nos jours cependant, on assiste à une renaissance : le Café Central (p. 48), longtemps converti en dépôt d'archives, fut réhabilité et des architectes talentueux comme Hermann Czech parvinrent à aménager de nouveaux espaces de rencontre. Même le vieux Drechsler (Linke Wienzeile 22, ouv. t.l.j. 15h-3h) vient d'être relooké par Conran ! Certes, on n'y crée plus, il n'en sort ni audaces esthétiques ni pensées révolutionnaires, mais même décatis, les cafés sont toujours des oasis de confort et de tranquillité pour relire son script dans un nuage de fumée, jouer au billard, grignoter un feuilleté au fromage blanc ou un *Apfelstrudel*. Et si le café proprement dit a peut-être perdu en qualité, les vrais amateurs connaissent encore quelques bons torréfacteurs, comme Heissenberger (Kohlmarkt 11).

PETIT LEXIQUE DU CAFÉ VIENNOIS

Brauner : noir bruni par une tombée de lait
Einspänner : noir servi dans un grand verre avec de la crème fouettée
Eiskaffee : boule de glace à la vanille sur laquelle on verse un café froid très serré et de la crème fouettée
Franziskaner : grand café au lait saupoudré de cacao râpé
Kapuziner : grand noir avec un doigt de lait et un soupçon de crème
Maria-Theresia : moka à la liqueur d'orange
Mazagran : avec marasquin et poudre de girofle
Melange : café et lait à parts égales
Mit Doppelschlag : avec double portion de crème fouettée
Original Fiaker : espresso avec du rhum ou du cognac
Schwarzer : petit noir
Verkehrt : plus de lait que de café

Mélomanie

Vienne n'a pas attendu les valses de Strauss pour être bercée par les sanglots des violons. Dès le XVIIIe s., la cour impériale attirait comme un aimant brillants interprètes et illustres compositeurs tels Mozart ou Schubert qui, en puisant dans la tradition populaire, ont su forger l'âme même de la musique viennoise, ce subtil cocktail de virtuosité enjouée et de secrète mélancolie…

La « grande trinité »

C'est ainsi que l'on surnomme le trio de compositeurs qui, vers 1780-1790, fit de Vienne la capitale musicale de l'Europe : Haydn, Mozart et Beethoven. Le premier arrivait des confins de la Hongrie, où il exerçait ses talents comme maître de chapelle au service des Esterházy. Le second, natif de Salzbourg, avait été convoqué à Vienne par l'archevêque Colloredo pour y entamer une nouvelle carrière. Le troisième,

Ludwig van Beethoven

l'Allemand Beethoven, s'était installé en ville pour quelques mois et finit par y passer les 35 dernières années de sa vie. Tous trois y ont composé leurs plus beaux chefs-d'œuvre, révolutionné le concerto et donné leurs lettres de noblesse à la symphonie pour orchestre et au quatuor à cordes. Mais à l'exception de quelques mécènes, les Viennois, plus habitués au style italien, méconnurent leur génie…

L'incompris de Vienne

Le « divin Mozart », lui-même, se heurta à l'incompréhension du public. Déjà, après la première de l'*Enlèvement au sérail*, l'empereur Joseph II lui reprocha d'avoir mis « trop de notes ». Son *Don Giovanni*, qui avait remporté un vif succès à Prague, fut un pitoyable échec lorsqu'on le résenta enfin au Burgtheater e Vienne (1788). Quant ux *Noces de Figaro*, elles uscitèrent des polémiques au ein de l'aristocratie qui ne lui ardonnait pas d'avoir choisi n sujet aussi scandaleux. On connaît la suite : Wolfgang nourut à 35 ans, emporté ar une maladie pulmonaire. Sa dépouille repose dans la osse commune du cimetière e Saint-Marc (Sankt Marxer riedhof, Leberstraße 6-8).

Le XIXe siècle

Schubert, qui était pourtant Viennois de naissance, connut ui aussi une longue suite de léboires et de fiascos. À sa mort, à l'âge de 31 ans, cet enfant prodige autant que prolifique laissa derrière lui e fameux quintette dit « La Truite », neuf symphonies, dont *l'Inachevée*, et plus de 600 lieder empreints de tristesse et de lassitude. D'autres personnalités ont marqué la période romantique : Johann Strauss père, qui s'imposa dans le domaine de la valse (p. 28) ; l'Allemand Brahms, qui puisait ses thèmes et ses variations chez les maîtres du passé ; et enfin Anton Bruckner (1824-1896), originaire de Haute-Autriche, qui se dédia surtout à la musique d'église.

Mahler et Berg

Une autre génération, née sous le règne de François-Joseph, a contribué elle aussi au renom de Vienne dans le domaine musical. Gustav Mahler (1860-1911) trouva le temps de diriger l'Opéra et d'écrire cinq cycles de lieder ainsi que dix symphonies monumentales, quelque peu intimidantes, qui mettront

du temps à se frayer un chemin auprès du public. Plus déroutante encore, l'œuvre de la « nouvelle école de Vienne » dont le véritable père, Arnold Schönberg (1874-1951), élabora une méthode de composition qui utilisait les 12 sons de la gamme pour les agencer selon un ordre différent, jetant ainsi

les bases du dodécaphonisme atonal et sériel. Ses élèves, les Viennois Alban Berg (1885-1935), à qui l'on doit *Wozzeck* et *Lulu*, et Anton von Webern (1883-1945), dont la durée totale de l'œuvre ne dépasse pourtant pas quatre disques, exerceront une très grande influence sur la musique contemporaine.

PROMENADES MUSICALES

Beethoven
Ludwig habita en 1802 dans le faubourg de Heiligenstadt (Probusgasse 6, ☎ 370 54 08, mar. dim. 10h-13h et 14h-18h), en 1803 dans une petite maison de vigneron (Döblinger Hauptstraße 92, ☎ 505 84 47, vis. le ven. 15h-18h) et, à partir de 1804, dans une maison du 1er arr. : la Pasqualatihaus (Mölkerbastei 8).

Haydn
Un modeste musée a été aménagé au n° 19 de la Haydngasse (☎ 596 13 07, mer.-jeu. 10h-13h et 14h-18h, ven.-dim. 10h-13 h) où le musicien s'installa en 1796.

Mozart
Au n° 5 de la Domgasse (☎ 512 17 91, voir p. 43) se trouve le seul appartement de Mozart qui ait été conservé à Vienne.

Schubert
Né en 1797 dans la maison dite « À l'écrevisse rouge » (Nußdorferstraße 54, ☎ 317 36 01), Schubert écrivit ses dernières compositions chez son frère, au n° 6 de la Kettenbrückengasse (☎ 581 67 30, vis. ven.-dim. 14h-18h), où il mourut en 1828.

Strauss
Le roi de la valse, Johann Strauss fils (1825-1899), composa *Le Beau Danube bleu* au n° 54 de la Praterstraße, (☎ 214 01 21, mar.-jeu. 14h-18h, ven.-dim. 10h-13h). Instruments de musique, meubles et autres souvenirs liés à la dynastie Strauss.

Bières et
vins d'Autriche

En 1784, l'empereur Joseph II a eu la bonne idée d'accorder aux vignerons autrichiens le privilège de vendre directement leurs crus aux consommateurs dans des estaminets de campagne : les *Heurigen*. Cette tradition s'est perpétuée, pour le plus grand plaisir des Viennois, qui peuvent ainsi découvrir, au cours de leur promenade dominicale, les petits vins frais des dernières vendanges.

L'Ottakring et les autres

Pour les Autrichiens qui consomment 123 l de bière en moyenne par an, Vienne brasse depuis 160 ans des blondes dorées, du type Gold Fassl, et des blondes à base de blé, proches des bières bavaroises, du genre Weizengold. On trouve les marques les plus populaires – Ottakring, Gösser – dans tous les débits de boisson de la capitale. Certains bars du centre-ville, tel le Hopferl (Naglergasse 13),

tentent de se démarquer de cette imagerie « prolétaire » en proposant des bières rares ou étrangères et d'excellentes eaux-de-vie à base d'abricots (*Marille*), de coings (*Quitte*), gentiane (*Enzian*) ou baies de genièvre (*Wacholder*).

Vins de terroir

À en croire les statistiques dont les ministères autrichiens sont décidément friands, le Viennois boit en moyenne 35 l de vin par an. Il a une prédilection pour les crus de Basse-Autriche et du Burgenland, qui sont souvent de grande qualité. Si la mode, aujourd'hui, est au chardonnay, le cépage le plus répandu reste un vin blanc fruité et léger, le Grüner Veltliner, qui occupe à lui seul un tiers de la surface viticole. Le Müller-Thurgau, très prisé lui aussi, est fleuri, doux et gouleyant, tandis que

e Muskat-Ottonel a un petit goût de noisette. De tous les rouges, qui ne représentent que 13 % de la production nationale, le plus chic est le Blaufränkischer couleur rubis, élevé à la frontière hongroise, près du lac de Neusiedl. Le Blauburgunder, relativement lourd, se marie à merveille avec les plats de gibier.

Les meilleurs crus viennois

Il y a peu de métropoles au monde qui peuvent se vanter d'élever des vignes à quelques minutes du centre-ville. À Vienne, les 19e et 21e arrondissements s'adonnent encore, en effet, à la viticulture. Au total : 520 ha de vignobles, exploités de part et d'autre du Danube par 320 professionnels. La rive droite est le fief des vieux chais, comme celui des Mayer, vignerons à Grinzing et Heiligenstadt depuis 1683 qui consacrent près de la moitié de leurs terres au riesling. Franz Mayer, l'actuel doyen des vignerons, est réputé pour son Nußberger, fruit de 8 cépages différents. Mais d'autres ont donné ses lettres de noblesse à la vigne viennoise, comme le jeune Fritz Wieninger, qui s'est établi sur les coteaux de la rive gauche et qui caracole en tête du hit-parade grâce

à ses chardonnays frais en bouche et ses cabernets. Il faut mentionner aussi Herbert Schilling de Strebersdorf et Leopold Breyer de Jedlersdorf, qui s'est fait connaître par un vin rouge issu d'un Zweigelt et d'un Portugieser.

Heurigen

Pour déguster les bons crus de ces pros du bouchon, les Viennois se rendent donc, surtout les week-ends d'été, dans les *Heurigen*, sortes de guinguettes où l'on sert, sous une tonnelle ombragée, de la charcuterie et du vin qui se boit ici à trois stades de maturation : le *Most* (tout juste issu du pressurage des raisins), le *Sturm* (en cours de fermentation) et le *Heuriger* proprement dit (vin des dernières vendanges). L'atmosphère y est détendue, un brin mélancolique. On reste assis des heures durant sur des bancs en bois, entre la cave et le pressoir, bercé par un air d'accordéon et de violon. Chaque Viennois a son *Heurige* préféré. Il en existe aussi au centre-ville, mais ceux de Neustift am Walde, Perchtoldsdorf et Stammersdorf sont plus authentiques.

LES DIX MOTS-CLÉS DU HEURIGE

Aufläufe : plats de pâtes ou de pommes de terre gratinées, garnies de viande, saucisses ou légumes
Ausg'steckt : ouvert
Blunz'n : boudin de porc assaisonné
Buschenschank : débit de boisson saisonnier (*Heurige*)
Doppler : bouteille de deux litres
Gemischter Satz : vin issu de crus différents provenant du même vignoble
Grammeln : morceaux de lard fondus
Liptauer : fromage à tartiner au paprika
Schrammelmusik : musique et chant traditionnels des *Heurigen*
Verschnitt : vin obtenu à partir de crus de vignobles différents

Aux couleurs
du baroque

À la fin du règne de Leopold Ier, des architectes, des sculpteurs et des peintres de talent, formés pour la plupart en Italie, sont gagnés par la fièvre baroque et rivalisent d'ingéniosité pour faire de Vienne une « nouvelle Rome » : en moins de 50 ans (1690-1740), ils parviennent à remplir la capitale de palais majestueux et d'églises opulentes qui marquent à la fois le triomphe du catholicisme et la gloire de la monarchie autrichienne.

Un phénomène tardif

Tout a commencé en 1683 avec la levée du siège de Vienne. En infligeant une cuisante défaite aux janissaires turcs et à leur grand vizir Kara Mustapha, les troupes impériales de Jean Sobieski ont permis à l'Autriche de confirmer son hégémonie en Europe centrale. Cette victoire qui augure l'âge d'or héroïque des Habsbourg amorce aussi un tournant dans l'économie du pays : la conjoncture est favorable à un épanouissement des arts et à une floraison de nouveaux monuments.

De riches mécènes

La grande aristocratie qui, tout au long du XVIIe s.,

avait acquis un prestige considérable et des fortunes colossales (la famille Lobkowicz, par exemple, possédait à elle seule deux villes et 65 villages en Bohême), se prit à rêver de fières résidences et de théâtres de verdure. Pour réaliser tous ces projets, elle commença par faire appel à des maîtres italiens comme Andrea Pozzo, qui décora la Jesuitenkirche (p. 51), ou Domenico Martinelli, qui conçut le palais Liechtenstein (p. 67) à l'image du palais Chigi de Rome.

Les palais

C'est alors qu'entre en scène l'une des personnalités les plus marquantes de l'époque : l'architecte Johann Bernhard Fischer von Erlach, à qui l'on doit entre autres chefs-d'œuvre Schönbrunn (p. 62), le palais d'hiver du prince Eugène (Himmelpfortgasse 8), les palais Batthyány-Schönborn (Renngasse 4) et Trautson

(Museumstraße 7) ainsi que la chancellerie de Bohême (Judenplatz 11). Natif de Gênes, Johann Lukas von Hildebrandt travaille lui aussi aux fastes de l'aristocratie victorieuse, mais il est moins porté sur le baroque romain que son rival. Inspiré par les villas vénitiennes, il a bâti, à moins d'une heure de carrosse de la cathédrale, des *Gartenpaläste*, de ravissants « palais-jardins » pour les princes Starhemberg (Rainergasse 11), Schwarzenberg (p. 61) et Eugène de Savoie, dont il devient l'architecte en titre.

Volutes et arabesques

Cette génération qui déploie une activité prodigieuse – 400 palais sont alors construits ou « baroquisés » dans le centre-ville et les environs immédiats – a le goût de la volute et de l'arabesque, comme en témoigne l'audacieuse toiture du Belvédère supérieur (p. 61), avec son petit air de tente ottomane, ou les portails et les escaliers d'apparat, qui se couvrent de colonnes torses et d'atlantes à la musculature boursouflée. Même les frontons des fenêtres bourgeoises sont désormais dessinés comme des accolades.

Les églises

Les églises, bien sûr, n'échappent pas à la règle : leurs clochers se prennent pour des bulbes, des oignons ou des potirons, leurs chaires sont tourmentées, leurs

bancs sont courbes. De la Peterskirche (p. 45), qui est devenue un modèle pour beaucoup d'églises d'Europe centrale, à la Karlskirche (p. 61), véritable manifeste du baroque impérial, la ville n'est plus qu'une cascade d'angelots joufflus, de coupoles circulaires tapissées de trompe-l'œil et de médaillons ovales ornés de fresques signées des meilleurs représentants de la peinture autrichienne : Johann Michael Rottmayr, Daniel Gran, à qui l'on doit l'admirable plafond de la Bibliothèque nationale (p. 53), Paul Troger et Franz Anton Maulbertsch.

LA MODE À L'ÉPOQUE BAROQUE

« Les Viennoises se font édifier sur la tête un appareil de gaze à trois ou quatre étages qui tient à grand renfort de solides rubans. Elles recouvrent cette carcasse avec leurs propres cheveux qu'elles mêlent à de multiples mèches fausses, car on considère ici qu'il est particulièrement seyant d'avoir une tête qui n'entrerait pas dans un tonneau. Une quantité prodigieuse de poudre est utilisée pour couvrir ce fatras hérissé de trois ou quatre rangées d'épingles décorées de pierreries rouges, vertes et jaunes. L'impératrice elle-même est obligée de suivre ces modes ridicules… »
Lady Mary Montagu, *Lettres d'ailleurs*, 1716, éd. José Corti, 1997.

La saison
des bals

Chaque année, après le fameux concert du Nouvel An qui s'achève invariablement sur *La Marche de Radetzky* et *Le Beau Danube bleu*, 20 % de la population viennoise – si l'on en croit les statistiques – ressort ses souliers vernis, repasse son frac et se jette à corps perdu dans la ronde infinie des bals. Ce sont donc 300 000 danseurs impénitents qui, jusqu'à la fin février, se métamorphosent en princes charmants ou en Cendrillon pour évoluer avec grâce sous les lustres nostalgiques de l'Empire.

Sous le parquet, l'Apocalypse

La valse, qui se distingue par son insouciante légèreté, incarnait parfaitement l'esprit Habsbourg : plus la monarchie approchait de sa

La capitale européenne de la valse

Plusieurs facteurs expliquent cet engouement qui remonte à l'époque Biedermeier. Auparavant, on ne dansait guère que dans les auberges de la campagne environnante : la mode était au *Ländler*, sorte de menuet paysan à trois temps. Mais au tout début du XIXe s., les Viennois découvrirent les joies du parquet. Dès lors, on cessa de sautiller sur la terre battue et l'on se mit à glisser, sous l'impulsion de Joseph Lanner et de Johann Strauss, sur une variante plus harmonieuse du *Ländler*, la valse. Cette nouvelle danse de couple, que certaines cours étrangères jugèrent indécente, conquit aussitôt le cœur des Autrichiens.

fin, plus elle se grisait de bals masqués, d'opérettes et de danses. Aujourd'hui, la valse a conservé cette même sensualité un peu superficielle, mais elle est devenue pour beaucoup une véritable religion. Les couples répètent sans relâche et cultivent la difficulté – le quadrille, la chaîne anglaise, la valse à l'envers – dans l'espoir d'être sélectionnés par les écoles de danse et d'avoir l'honneur d'ouvrir un bal.

Le frisson du grand soir

On compte plus de 250 bals au calendrier. Chaque corps de métier, chaque communauté a le sien : maîtres nageurs, psychothérapeutes, garçons de café, Fédération agricole de Basse-Autriche, douaniers, scouts, ramoneurs… Le plus prisé de la haute société est le grand bal, très « vieille Autriche », de l'orchestre philharmonique, dirigé de main de maître par d'éminents chefs d'orchestre. Il obéit, comme tous les autres bals de Vienne, à un cérémonial précis. Le dress code lui-même est strict : robe du soir pour les dames ; nœud papillon, gants blancs, queue-de-pie ou smoking pour les messieurs.

Un rituel immuable

La tradition veut que la soirée débute vers 21h ou 22h et qu'après l'entrée des « débutant(e)s », l'orchestre attaque par une polonaise, enchaîne par une polka, une première valse suivie de quelques menuets et quadrilles, avant de déclarer : *alles Walzer*. À cette formule magique, toute l'assistance entre dans la ronde et tournoie jusqu'à 5h du matin. En dehors de ce protocole de base, chaque bal a son propre style : costumes traditionnels chez les Styriens, les Tyroliens et les Tchèques, masque pour les jeunes filles – au moins jusqu'à minuit – au gala de la Rudolfina.

Le bal de l'Opéra

Sans doute le plus huppé, le plus médiatique et le plus cher de tous les bals (l'entrée coûte 230 €) reste l'Opernball. Sommet incontesté de la saison mondaine, rendez-vous international du glamour, il réunit sous les flashs des paparazzi chefs d'État et têtes couronnées, barons de l'industrie et étoiles montantes de la bourgeoisie d'affaires. Cette débauche de laquais en livrée, de seaux à champagne et de riches princesses en froufrous lamés n'est pas du goût de tous : boudée par la vieille noblesse européenne qui lui préfère le bal du palais Schwarzenberg, la fête à l'Opéra passe pour une « obscénité » aux yeux de quelques contestataires.

CARNET DE BAL

Pour connaître les dates des bals, procurez-vous auprès de l'office de tourisme le *Wiener Ballkalender* ou téléphonez au ☎ 52 550. Pour acheter une panoplie du parfait valseur, essayez Vera Billiani (Auhofstraße 68, ☎ 877 02 66) et Peppino Teuschler (Michaeler Straße 31, ☎ 479 69 39). Pour louer une robe ou un frac, faites un saut chez Lambert Hofer (Simmeringer Hauptstraße 28) ou Pribil (Porzellangasse 36). Enfin, pour réviser vos pas, suivez le *crashcourse* de M. Elmayer (Bräunerstraße 13, ☎ 512 71 97, www.elmayer.at).

Les marchés
de Noël

À Vienne, les fêtes de Noël ne se limitent pas
aux cadeaux au pied du sapin ou à la traditionnelle
carpe du réveillon : Weihnachten, c'est aussi
l'odeur du pain d'épice et des châtaignes grillées,
la neige et les rues illuminées. C'est le vilain Père
Fouettard (*Krampus*) et le gentil saint Nicolas
(*Nikolo*) qui apporte dans son sac de menus
cadeaux pour les enfants. C'est enfin, et surtout,
le temps des marchés de l'Avent…

Sozialaktionen

Décembre est le temps des
collectes, des bonnes œuvres
et des *Sozialaktionen*,
comme le grand « bazar
de Noël » organisé depuis
1947 par Caritas durant les
derniers jours de novembre
(Pramergasse 9), ou les
marchés de l'Avent, que
patronnent plusieurs paroisses
de Vienne et dont les recettes
permettent chaque année
d'aider les gens en difficulté
et les enfants handicapés. Ces
marchés, fréquentés à l'origine
par la noblesse, puis par les
bourgeois qui y achetaient
leurs cadeaux de Noël, existent
depuis la fin du XIIIe s. Il est
d'usage d'y faire un tour à
l'heure du déjeuner ou en fin

de journée. Et de s'y réchauffer
en sacrifiant aux deux
« drogues » hivernales par
excellence : le vin chaud
(*Glühwein*) et le punch (soit
dit en passant, le verre de
punch des marchés de Noël
contient plus d'eau que de jus
d'orange et de rhum réunis).

Le Christkindlmarkt

De tous ces marchés,
le plus important est le
Christkindlmarkt, installé
depuis 1975 sur la place de
l'hôtel de ville de Vienne
(mi-nov.-23 déc. t.l.j. 9h-21h,

4 déc. 9h-17h). Il se compose
e deux parties distinctes :
es stands et le parc. Les stands
n bois, alignés le long des
llées centrales, offrent une
valanche de décorations
our sapins et crèches
- guirlandes, bougies,
ouronnes, boules
multicolores – ainsi qu'une
rofusion de jouets en bois,
e calendriers de l'Avent et
e Pères Noël faisant sonner
ne clochette sur un air de
lozart. Mais le *Markt* est aussi
ne kermesse gourmande,
ù vous pourrez déguster, en
lus des traditionnels fruits
onfits, pommes au four et
ucre filé, de délicieux gâteaux
t biscuits typiquement
utrichiens : *Marzipan,
ebkuchen, Spekulatius,
Weihnachtsstollen.*

'Adventzauber

e parc tout autour
Adventzauber) réunit, parmi
es arbres enrubannés, des
ttractions pour les enfants
nspirées, entre autres fables,
e l'histoire du *Chat botté*
t de *Pinocchio*, ainsi qu'un
ureau de poste miniature
ui vend des timbres « spécial
Joël » et des cartes de vœux.

Enfin, à l'intérieur de l'hôtel
de ville, côté Volkshalle, il y
a des ateliers de déco et de
pâtisserie de Noël – réservés
aux juniors – et des chorales

qui entonnent, tous les ven.,
sam et dim. (15h30-19h30),
les plus beaux chants de Noël
du monde entier. Après cette
répétition générale, il ne vous
reste plus qu'à vous rendre
à la messe de minuit, très
chic à la cathédrale Saint
Étienne, plus cosmopolite à
la Votivkirche. Mais, dans les
deux cas, vous aurez le droit
à *Douce nuit* en v.o.

Les autres marchés de Noël

L'Altwiener Christkindlmarkt,
sur la place de la Freyung (fin
nov.-23 déc., t. l. j. 9h-20h),

est une institution, très vivante
elle aussi, qui conjugue
artisanat autrichien et groupes
de musique populaire. Les
marchés de la Karlsplatz et de
Spittelberg sont plus récents et
proposent des articles qui ont
peu de liens avec la tradition :
bijoux orientalisants, huiles
aromatiques, baguettes
d'encens, ponchos et
autres « ethnonippes ».
On peut leur préférer
les marchés, adorables,
du Heiligenkreuzerhof
(Schönlaterngasse, fin
nov.-20 déc., sam. 10h-19h
et dim. 10h-18h) et du
château de Schönbrunn
(p. 62), qui expose aussi
une collection de crèches dans
les salles Bergl (21 nov.-26 déc.
t. l. j. 14h-19h).

LA COURONNE DE L'AVENT

Cette tradition, relativement récente, est d'origine
protestante. Un pasteur de Hambourg avait coutume
d'allumer chaque jour de décembre une bougie
supplémentaire sur une grande couronne tressée
de rameaux de sapin, afin de donner un peu plus de
lumière au temple avant la nuit de Noël. Peu à peu, les
couronnes se firent plus petites, les 24 bougies furent
remplacées par 4, correspondant aux 4 dimanches de
l'Avent, et la coutume gagna les régions catholiques.
À Vienne, ce sont trois bougies violettes et une bougie
rose que l'on dispose sur la couronne, bénite à l'église,
avant de la suspendre, chez soi, au plafond.

L'époque
Biedermeier

En 1815, au lendemain des guerres napoléoniennes, l'empereur d'Autriche accueillit à Vienne le tsar Alexandre Ier, Frédéric-Guillaume III de Prusse et le prince de Talleyrand pour tenter de trouver une solution pacifique aux litiges. Cette réunion au sommet, pour laquelle la ville dépensa la bagatelle de 22 millions de florins – l'équivalent de 600 millions d'euros – en fêtes, bals à la Cour et cortèges en traîneaux, marqua les débuts d'une période importante de la culture viennoise : le Biedermeier (1815-1848).

Le système Metternich

Le gouvernement de l'époque voulait empêcher que les provinces de langue et de culture différentes (Tchèques, Hongrois, Slaves du Sud) se séparent du corps de l'État. Pour étouffer toute velléité révolutionnaire et maintenir la stabilité du régime, l'autoritaire chancelier Metternich mit en place un « système »

très efficace, fondé sur un réseau d'espionnage et une police toute-puissante, passée maître dans l'art d'ouvrir la correspondance, de censurer les livres et les journaux, d'infiltrer les grandes familles et les ambassades en y plaçant des mouchards déguisés en domestiques. En 1848, au bout de trente années de dénonciations arbitraires et de répression, les Viennois descendirent dans la rue pour exiger, entre autres, la liberté de la presse. Le gouvernement fit tirer sur la population. Il fallut cette effusion de sang pour que l'empereur prît enfin la décision de congédier Metternich.

Le repli sur soi

Ce climat politique si particulier n'a pas manqué d'influer sur les mentalités : les Viennois, résignés et soumis, s'étaient retranchés

...ans l'univers de la vie
...rivée et familiale. Certes,
...s s'accordaient de temps
...autre une promenade au
...rater, une valse à la salle
...e bal ou une excursion
...la campagne, mais il leur
...allait rester vigilants : il y
...vait des indicateurs jusque
...ans les auberges les plus
...ustiques. Le citoyen, n'ayant
...e liberté qu'entre ses quatre
...murs, se tourna donc vers
...on confort et son bien-être

...omestique. Son appartement
...ant exigu, il opta pour
...es meubles de petite taille :
...onsoles, tables à ouvrage,
...oiffeuses, vitrines d'angle
...u'il remplit de bibelots et
...urtout de verres à pied, de
...asses à chocolat et autres
...roductions de la Manufacture
...mpériale. Pour pouvoir
...'adonner à ses nouvelles
...occupations (broderie, lecture,
...essin, violon) au sein
...'une même pièce, il regroupa
...es meubles de manière
...créer des *Wohninsel*, des
...îlots d'activité ».

Mobilier et décoration

...es ébénistes multiplièrent
...ommodes et sièges en
...ois fruitiers, incrustés de
...itronnier ou de sycomore.

Les tapissiers privilégièrent
les étoffes à fleurs, les plissés
et les bouillonnés, les tons
chamois, bleu, rose, argent,
et suivirent de près les caprices
de la mode. À la fin des années
1820, les plus coquettes
s'engouèrent pour la « mode
à la girafe » (il faut dire
qu'une girafe venait tout juste
d'arriver, pour la première
fois, au zoo de Vienne). On se
mit donc à porter des robes,
des gants, des pendentifs et des
tabatières à motifs de girafe.
Au début des années 1830, on
délaissa les girafes pour les
chinoiseries : la bourgeoisie
viennoise découvrit alors
les négligés « à la mandarin »
et les manteaux constellés
de pagodes…

Le petit format

Mais le « système Metternich »
eut aussi des répercussions
dans le domaine de la
peinture : soucieux d'éviter
tout sujet mythologique ou
religieux, les artistes avaient
renoncé au monumental et

aux effets dramatiques pour
se cantonner dans les scènes
de genre et les petits paysages.
Josef Danhauser, Peter Fendi,
Franz Steinfeld et Ferdinand
Georg Waldmüller, dont
l'œuvre de jeunesse peut être
qualifiée de Biedermeier, ont
laissé des tableaux de fleurs,
des compositions touchantes
et paisibles, des portraits
d'enfants et surtout de
superbes images de la nature
autrichienne – une nature
dont ils prirent soin, bien sûr,
de gommer les contours trop
bruts ou trop sauvages…

PETIT GUIDE DU BIEDERMEIER

On trouve de superbes meubles et objets des
années 1815-1848 au **MAK** (p. 50), des reconstitutions
d'intérieurs ainsi qu'une quantité industrielle de sièges
au **Kaiserliches Hofmobiliendepot** (p. 57),
et sept pièces entièrement décorées dans le goût de
l'époque au **Geymüller Schlößl** (Khevenhüllerstraße 2,
☎ 711 36 298 ; vis. de mai à nov., le dim. 11h-16h).

Habsbourg :
le who's who

« Il appartient à l'Autriche de commander le monde entier » – *Austriae Est Imperare Orbi Universo*, autrement dit AEIOU –, telle est la devise de la dynastie des Habsbourg qui, pendant plus de six cents ans (1278-1918), exerça son autorité sur l'Europe centrale et dont la saga mouvementée fait aujourd'hui recette, par la grâce du cinéma (sous les traits de Romy Schneider) et des expositions commémoratives. Une habsbourgmania savamment entretenue, à laquelle il est parfois difficile d'échapper…

Marie-Thérèse

La plus grande figure de l'histoire autrichienne et la première impératrice à monter sur le trône du Saint Empire fut Marie-Thérèse. Elle a consacré les 40 années de son règne (1740-1780) à jeter les bases d'un État moderne, unifié et centralisé – tâche peu aisée, quand on sait la formidable diversité culturelle, religieuse, ethnique et linguistique de l'Europe centrale. Elle commença par fonder une école militaire et un lycée (le Theresianum, Favoritenstraße 15) chargé de former les futurs cadres de la bureaucratie, développa les manufactures, rénova la faculté de médecine, abolit la torture, garantit les anciens privilèges de la noblesse hongroise et trouva le temps de mettre au monde seize enfants, dont Marie-Antoinette (qui devint reine de France en épousant Louis XVI) et Joseph II…

Joseph II

Ce train de réformes que sa mère avait mis en place avec justice et clémence, Joseph II (1780-1790) le reprit à son compte d'une manière plus musclée et plus *radikal*. Certes, il abolit le servage, fonda l'Hôpital général, ouvrit le parc du Prater au

public, décréta l'instruction obligatoire, même pour les jeunes filles, et promulgua un édit de tolérance qui accordait aux juifs et aux protestants le libre exercice de leur religion. Mais sa politique, peu soucieuse des spécificités nationales, s'est surtout attachée à niveler et à centraliser (certains historiens comparent son court règne à un rouleau compresseur). En imposant l'allemand comme langue administrative, il a suscité bien des rancœurs au sein de l'aristocratie et de l'intelligentsia hongroises.

Sissi

Élisabeth, surnommée Sissi, n'était pas une Habsbourg mais une Wittelsbach de Bavière. Elle entra dans l'histoire de la dynastie le jour où, tout juste âgée de 16 ans, elle épousa (1854) le fils de sa tante, l'empereur François-Joseph, alias « Franzi ». Toute l'Europe a alors chanté la beauté de cette jeune femme spontanée au teint de rose, bien trop émancipée pour une ville aussi formelle que Vienne. Tel un « papillon qui se cogne contre les vitres », elle s'est aussitôt heurtée à l'étiquette et à la raideur de la Cour,

qui lui a longtemps reproché ses sympathies pour la Hongrie. Rongée par les luttes incessantes avec sa belle-mère, qui lui retira ses enfants pour mieux se charger de leur éducation, et par les drames successifs – la mort de sa petite fille, la noyade de son cousin Louis II de Bavière, le suicide de son fils Rodolphe dans le pavillon de

chasse de Mayerling (1889) –, elle finit par se replier sur elle-même et par entreprendre de mélancoliques voyages entre Budapest, Corfou et Madère avant d'être assassinée à Genève par un anarchiste italien (1898).

Zita

Autre destin hors du commun, celui de Zita de Bourbon-Parme (1892-1989), dernière impératrice d'Autriche. En 1911, Zita avait épousé un petit-neveu de l'empereur François-Joseph, le jeune Charles de Habsbourg. Or, après la mort de l'archiduc François-Ferdinand, criblé de balles par un anarchiste serbe à Sarajevo (1914), et la mort du vieux François-Joseph (1916), c'est à Charles que revint la lourde tâche de gouverner l'empire très ébranlé par la guerre. Il ne régnera que deux ans. Contraint de s'exiler avec sa courageuse épouse qui avait tenté d'engager des pourparlers de paix, il refuse d'abdiquer et meurt à Madère en 1922. Zita continuera seule, dans un grand dénuement, à élever ses enfants. Ce n'est qu'à l'âge de 90 ans, après 63 années d'exil, qu'elle fut autorisée par la République à poser de nouveau le pied sur le sol viennois…

LES APPARTEMENTS IMPÉRIAUX

Au palais de la Hofburg, les appartements de Marie-Thérèse et de Joseph II sont aujourd'hui occupés par les bureaux du président de la République. Ceux de François-Joseph et de Sissi, en revanche, sont ouverts au public. Au total : 20 pièces – cabinets de travail, chambres à coucher, salles d'audiences – décorées de lambris dorés et de stucs crème. À voir surtout pour les portraits de la jeune impératrice qui pratiquait la gym, au grand déplaisir de sa belle-mère, pour conserver une taille de guêpe (46 kg pour 1,72 m).

Kaiserappartements, entrée : Michaelerkuppel
☎ 533 75 70, t. l. j. 9h-17h ; accès payant : (billet Sissi).

Visiter mode d'emploi

Se déplacer

En métro, tram et bus

Côté transport, vous n'avez que l'embarras du choix : il existe des bus, des *Schnellbahn* (sorte de RER), des trams et des métros (*U-Bahn*) qui circulent de 5h à 0h30, des *City-bus* qui desservent le 1er arr. aux heures d'ouverture des magasins, et des bus de nuit qui sillonnent la ville les ven. et sam. de 1h à 4h au départ de Schwedenplatz. Côté tarif, aussi : vous pouvez opter pour le ticket à l'unité (1,50 €) ou une formule plus intéressante comme la *Wien-Karte*, la

SE REPÉRER

Les mini-cartes situent chacune des balades du chapitre Visiter sur la carte générale de la ville placée en fin de guide.

Netzkarte 24 Stunden Wien (5 € les 24h) et la *Netzkarte 72 Stunden Wien* (12 € les 72h), valables sur tous les transports publics du réseau. Notez qu'il n'y a pas besoin, en cas de changement, de composter un nouveau ticket et que les enfants de moins de 6 ans voyagent gratuitement. Tickets et forfaits s'achètent aux distributeurs automatiques et aux guichets des *Wiener Linien* (lun.-ven. 6h30-18h30, sam.-dim. 8h30-16h30). Renseignements : ☎ 7909 100.

En taxi

Les Viennois n'ont pas l'habitude de héler les taxis dans la rue. Ils préfèrent les attendre sagement à la station, ou les commander par téléphone : ☎ 31300, 40100 ou 60160. Les taxis, qui sont souvent

des Mercedes blanches, sont tous équipés d'un taximètre. Une petite course dans la City n'excède pas les 10 €, mais le prix est majoré la nuit (23h-6h), les dim. et jours fériés. Prévoyez un supplément pour les taxis réservés par téléphone (2 €) et pour les courses entre l'aéroport et l'agglomération viennoise (11 €).

En fiacre

Plus pittoresques mais plus chers, les fiacres viennois stationnent à côté de la cathédrale, sur la Heldenplatz et l'Albertinaplatz. Le tarif est fonction du parcours et de la distance (comptez environ 40 € les 20 min). Il convient donc de débattre du prix avec le cocher avant le départ.

À bicyclette

Les nostalgiques de la petite reine n'ont qu'à bien se

tenir : il y a déjà 1 000 km de pistes cyclables à Vienne et la municipalité envisage d'aménager 300 autres km dans les 10 ans à venir. Ils peuvent louer un vélo standard à la gare (*Rent a bike am Bahnhof*) pour 14,50 €/jour. Ils peuvent aussi prendre le métro avec leur monture, du lun. au ven. 9h-15h et après 18h30, le sam. dès 9h, le dim. toute la journée, moyennant un ticket demi-tarif. Mais ce n'est pas tout : depuis 2003, la municipalité met à la disposition du public 1 500 vélos (« Citybikes »), gratuits la première heure, sur inscription (1 €) : Herrengasse 1-3, ☎ 0810 500 500, www.citybikewien.at
Location de vélos :
Pedal Power :
2, Ausstellungsstraße 3,
☎ 729 72 34
Fermé en hiver.
Radhaus Singer :
1, Reichsratstraße 13
☎ 406 21 43
Lun. ven. 10h-18h30,
Sam. 10h-15h.

Bien se garer

Il existe une vingtaine de parkings couverts dans la City (1er arr.), mais le prix

est élevé (4 € pour 1h, 20 € la journée) et le nombre de places reste insuffisant. Si vous préférez vous garer « en surface », sachez que la City et les arrondissements limitrophes (4e, 5e, 6e, 7e, 8e, 9e) sont des zones à stationnement limité, du lun. au ven., de 9h à 19h. Il vous faudra placer un *Parkschein* (bon de stationnement) à l'intérieur de la voiture, face au pare-brise. Ces tickets, qui s'achètent dans les bureaux de tabac, les gares et aux guichets des transports publics, coûtent 0,50 € pour 30 min, 1 € pour 1h, 1,50 € pour 1h30. Si votre hôtel se situe dans le 4e, 5e, 6e, 7e, 8e ou 9e arr. et ne dispose pas d'un parking ou d'un garage, demandez une *Parkkarte* à la réception (4 €). Elle vous permettra de stationner toute la journée dans cette zone.

Attention : les contrôles sont rigoureux et les amendes assez fortes ! Veillez à ne pas vous garer, un soir d'hiver, dans une rue desservie par le tram : le chasse-neige déblaie les rails dès l'aube et vous risquez fort de retrouver votre véhicule à la fourrière.
Parkings couverts :
Parkhaus City, Wollzeile 7 ;
Parkgarage Am Hof
(600 places) ; Garage Freyung
(700 places) ; Tiefgarage
Rathauspark, Dr. Karl-Lueger-Ring ; Tiefgarage Franz-Josefs-Kai, Morzinplatz 1
(850 places) ; Garage
Hoher Markt, Sterngasse 5 ;
Kärntnerstraße Tiefgarage,
Kärntner Straße 51.

Comment téléphoner ?

Pour appeler la France depuis Vienne, il suffit de composer

le 0033 suivi du numéro de votre correspondant sans le 0 initial. Pour appeler depuis Vienne une autre ville d'Autriche, il faut composer l'indicatif de la ville au complet, y compris le 0 initial. Inversement, pour appeler Vienne depuis une autre ville d'Autriche, composez le 01. Vous pouvez bien sûr téléphoner de votre chambre d'hôtel, mais le prix des communications est fortement majoré. Il est plus avantageux d'appeler depuis une cabine téléphonique à carte. Des cartes (*Wertkarten*), au prix de 3,60, 6,90 ou 9,60 €, sont en vente dans les tabacs et les bureaux de poste. Pour envoyer un e-mail : **Bignet**, Hoher Markt 8-9 (ouv. t. l. j. 9h-23h) et Kärntner Straße 61 (ouv. lun.-dim. 9h-23h45). Tarif : 4 € les 60 min.

Votre courrier

On trouve des timbres (*Briefmarken*) dans les tabacs et les bureaux de poste. Ceux-ci sont ouverts du lun. au ven. de 8h à 12h et de 14h à 18h. Seuls les guichets automatiques du Hauptpostamt (grande poste), situé au Fleischmarkt 19, M° Schwedenplatz, sont ouverts t. l. j. 24h/24. Tarif du courrier à destination des autres pays de l'Union européenne : 0,55 € pour une carte postale ou pour une lettre jusqu'à 20 g. L'acheminement est rapide : comptez 3 à 4 jours pour la France.

Où changer de l'argent ?

Vous pouvez changer vos devises étrangères et acheter

des forints hongrois ou des couronnes slovaques dans les banques du lun. au ven. de 8h à 15h, le jeudi jusqu'à 17h30. En dehors de ces heures d'ouverture, il faut recourir aux services des *Wechselstuben* (bureaux de change) des gares, de l'aéroport, du City Air Terminal ou de la grande poste, qui pratiquent des taux moins intéressants.

Offices de tourisme

Wiener Tourismusverband, c'est le nom de l'office de tourisme viennois. Son bureau général se situe de l'autre côté du canal du Danube, dans le 2e arrondissement. Il ne reçoit pas de visiteurs mais répond à toutes vos questions ☎ 24 555, 🖷 24 555 666,

ADRESSES UTILES

Ambassade de France
4, Technikerstraße 2
☎ 502 75 0.
Consulat de France
1, Wipplingerstraße 24-26
☎ 502 75 200.
**Institut français
de Vienne**
9, Währingerstraße 30-32
☎ 502 75 300.
Urgences
Pompiers : ☎ 122.
Police : ☎ 133.
Ambulance : ☎ 144.
SOS Médecins : ☎ 141.
Pharmacie : ☎ 1550.
Dentiste : ☎ 512 20 78.
Dépannage routier
Arbö : ☎ 123.
Öamtc : ☎ 120.
Objets trouvés
Bureau central
(Fundamt)
18, Bastiengasse 36-38
☎ 4000 8091.

info@wien.info
Il existe bien sûr une
antenne au cœur de la
ville, derrière l'Opéra, sur
l'Albertinaplatz, à l'angle
de la Maysedergasse, ouverte
t. l. j. 9h-19h. Ses hôtesses
pourront vous donner des
prospectus, des plans ainsi
que des renseignements sur
les différentes manifestations
culturelles, les hôtels,
restaurants et *Heurigen*.

Visites guidées

À pied
L'association **Wiener
Spaziergänge** propose des
visites à thème, d'une durée
de 1h30, sous la conduite
d'un conférencier agréé
ou d'un accompagnateur
amoureux de Vienne qui
saura vous en faire découvrir
les charmes les plus cachés.
Il n'est pas nécessaire de

réserver. Pour tout connaître
de l'occultisme à la Cour,
de l'héritage juif ou de la
Vienne souterraine, il vous
suffit de vous présenter à
l'heure au lieu de rendez-
vous figurant sur le dépliant
Wiener Spaziergänge
(☎ 489 96 74) disponible
à l'office de tourisme.
Participation : 13 €,
billet d'entrée des
monuments non compris.

En bus
Pour ceux qui préfèrent
les balades en bus,
Sightseeing Tours organise
des tours guidés, en français,
de la capitale *by night* et de
la forêt viennoise, ainsi qu'un
circuit sur les traces de Sissi.
Durée : entre 3h
et 4h. Départ de l'Opéra
à 9h45. Prix : à partir de
38 €. Mais il existe une
autre façon, plus originale,

de découvrir Vienne : pour
20 €, vous pouvez emprunter
autant de fois que vous le
souhaitez pendant 24h, le bus
hop-on hop-off qui s'arrête,
entre autres, à l'Opéra,
au Prater et au Belvédère.
Renseignements : Goldeggasse
29, ☎ 712 46 83 0.

Sites et monuments
Les musées sont fermés
le lundi ou le mardi et les
jours fériés : le 1er janv.,
le lundi de Pâques, le 1er mai,
le 1er nov. et le 25 déc. Le billet
d'entrée varie entre 5 et 10 €.
Étudiants, enfants et seniors
bénéficient d'un tarif réduit.
Certains musées proposent
des billets combinés à des prix
inéressants comme le "billet
Sisi (22,50 €) qui permet
d'accéder aux appartements
impériaux de la hofburg, au
Hofmobiliendepot, au château
de Schönbrunn...

Visiter Vienne
et ses incontournables

Pour faciliter votre découverte de la ville, nous vous proposons 15 balades dans Vienne, toutes illustrées par une carte. Si vous disposez de peu de temps, voici une sélection de 11 incontournables, à ne manquer sous aucun prétexte. Ils sont tous évoqués au fil du guide et vous les retrouverez aussi, de manière plus détaillée, sous forme de fiches, à la fin du chapitre Visiter.

Belvédère

Dans ce palais baroque composé de deux châteaux et dédié à l'art autrichien se côtoient art médiéval, art baroque et art moderne. Surtout, ne manquez pas *Le Baiser*, de Gustav Klimt !

Voir visite n° 10, p. 61 et Incontournable p. 72.

Musée MAK

Ce musée des Arts appliqués est une référence en la matière et abrite, dans un beau bâtiment de briques rouges, une sélection d'objets qui, depuis le XVIIIe s., ont marqué la vie quotidienne des Autrichiens.

Voir visite n° 5, p. 50 et Incontournable p. 73.

MuseumsQuartier

C'est *le* complexe muséographique incontournable de Vienne. L'art moderne dans toute sa splendeur ! En prime, des cafés et des boutiques pour bien finir la journée…

Voir visite n° 7, p. 54 et Incontournable p. 74.

Stephansdom

La cathédrale Saint-Étienne exhibe ses toitures polychromes dans la plus grande simplicité et offre aux regards du visiteur deux joyaux architecturaux que sont le maître-autel et la chaire. De toute beauté !

Voir visite n° 1, p. 42 et Incontournable p. 76.

Schönbrunn

Dans ce cadre grandiose et rococo à souhait, vous n'aurez que l'embarras du choix : salles flamboyantes, galeries rocaille, cabinets secrets et jardins à la romaine…

Voir visite n° 11, p. 62 et Incontournable p. 77.

Haus der Musik

Voici un musée à la fois original, instructif et ludique. À la sortie, vous saurez tout sur la Vienne mélomane d'antan et aurez fait vos premières armes dans la direction d'orchestre. Étonnant !

Voir visite n° 3, p. 47 et Incontournable p. 78.

Demel

Cette « pâtisserie-salon de thé-musée » est une institution ! Après avoir englouti une part de *Linzertorte*, vous ne regarderez plus du même œil les vieux moules, les croquis de gâteaux et les salons de réception de cet établissement exceptionnel.

Voir visite n° 2, p. 45 et Incontournable p. 79.

Hofmobiliendepot

Ce « dépôt » est aujourd'hui le musée où est exposé le mobilier que les Habsbourg emportaient dans chacune de leurs résidences. Un inoubliable voyage à travers le temps.

Voir visite n° 8, p. 57 et Incontournable p. 80.

Musée KHM

Le KHM est un émerveillement. C'est l'un des plus riches musées d'Europe qui présente à la fois les plus grands peintres de la Renaissance vénitienne, les primitifs flamands et hollandais, et des objets d'art plus insolites les uns que les autres.

Voir visite n° 6, p. 53 et Incontournable p. 81.

Hofburg

Le gigantesque palais de la Hofburg est à la fois l'emblème de la monarchie autrichienne et une formidable concentration de chefs-d'œuvre artistiques. Joyaux de l'Empire (bijoux, sceptres, couronnes, etc.) côtoient porcelaines et collections d'armes.

Voir visite n° 6, p. 52-53 et Incontournable p. 82.

Prater

Une bouffée d'oxygène et de pure détente pour terminer en beauté votre séjour à Vienne ! Tout y est : grande roue, équipements sportifs, et bien sûr promenades à gogo au bord des étangs ou le long de la Hauptallee.

Voir visite n° 15, p. 70-71 et Incontournable p. 83.

1

Voir plan détachable
C2

Nos adresses de restaurants sont signalées sur la carte par le picto ➋. Pour plus de détails, voir p. 90-95.

100 m

Entre cathédrale
et synagogue

Il suffit de franchir les quelques ruelles qui séparent la cathédrale (*Steffl*) de la synagogue (*Stadttempel*) pour entrevoir un pan de la ville médiévale. La première, symbole de Vienne, est le plus grand édifice gothique de toute l'Autriche. La seconde, obéissant aux décrets de Joseph II, qui avait des idées très arrêtées en matière de lieux de culte, se cache à l'intérieur d'un immeuble discret. Entre elles deux, un… chapelet de boutiques.

❶ Stephansdom★★

Stephansplatt
☎ 515 52 30
Lun.-sam. 6h-22h,
dim. 7h-22h
Voir incontournable p. 76.

Sous les toitures polychromes de la cathédrale Saint-Étienne se cachent deux joyaux qui donnent une idée de la richesse de Vienne aux XVIe et XVIIe s. : le maître-autel de Tobias Pock et la chaire d'Anton Pilgram,

véritable dentelle de pierre avec ses salamandres, symboles du Bien, pourchassant de vilains crapauds, incarnations du Mal. Le sculpteur s'est représenté sous les bustes des Pères de l'Église, ainsi que sur le pied de l'orgue.

❷ Haas & Haas★★★

Stephansplatt 4
☎ 512 97 70
Lun.-ven. 9h-18h30,
sam. 9h-18h.

À côté du salon de thé où vous ne manquerez pas de goûter le *gyokuro tanabe* du Japon et l'incroyable *jasmin imperial dragon pearl* de Guandong, madame Haas propose, dans un décor chaque fois renouvelé, une incomparable sélection de cafés, pâtes de fruits et biscuits confectionnés par le pâtissier de la maison. Il y a également des gelées de

Ce qui est sûr, c'est que vous trouverez ici d'autres produits, moins connus mais tout aussi gourmands : de la *glasur* pour napper vos gâteaux, du pain d'épice enrobé de chocolat…

⑤ Ankeruhr★★
Hoher Markt 10-11.
Arrêtez-vous un instant devant la curieuse horloge de Franz von Matsch (1914) pour assister au défilé des

pensées (3,80 €) et des confits aussi enchanteurs que le jardin d'été attenant.

③ Mozarthaus★★
Domgasse 5
☎ 512 17 91
T. l. j. 10h-20h
Accès payant.

Cabinet de travail ou chambre à coucher ? On ne sait pas bien comment était aménagé l'appartement où Mozart vécut de 1784 à 1787. Le musée qui

④ Manner★
Stephansplatz 7
☎ 513 70 18
T. l. j. 10h-21h.

Il paraît qu'Arnold Schwarzenegger a fait dans *Terminator 3* la promo des *Manner Schnitten*, ces gaufrettes au nougat que la chocolaterie viennoise – fondée en 1890 par Josef Manner – exporte aujourd'hui dans le monde entier, emballées de rose.

personnages qui ont marqué l'histoire de la ville. Les couche-tard verront passer Charlemagne à 2h du matin. Les autres retrouveront l'impératrice Marie-Thérèse à 11h. À midi, tous les automates font un nouveau tour de manège sur fond musical. En décembre, chants de Noël à 17h et 18h.

s'est ouvert ici sur 3 étages et qui évoque les années viennoises du compositeur, alors au sommet de sa carrière, est donc un peu… virtuel. Mais la musique est partout (et c'est bien là l'essentiel). Jusque dans l'audioguide : pour entendre le *Requiem,* tapez 270 !

⑥ BERMUDA-DREIECK★
Le « Triangle des Bermudes » : c'est ainsi que l'on surnomme ces trois rues de l'ancien ghetto qui attiraient au début des années 1980 des flots de noctambules en mal de bière. La faune s'est déplacée, mais le quartier a conservé quelques bars et restaurants à côté de Saint-Rupert – la plus vieille église de la ville – et de la synagogue, la seule qui ait échappé à l'effroyable nuit de Cristal (1938).
Ruprechtsplatz, Seitenstettengasse, Rabensteig.

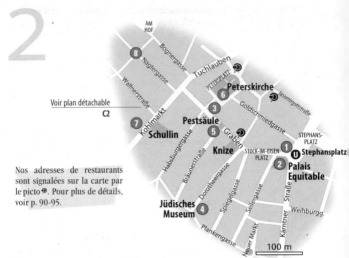

AM HOF

Bognergasse

Tuchlauben

Naglergasse

Wallnerstraße

PETERSPLATZ

Peterskirche

Jasomirgottstraße

8

Voir plan détachable
C2

Goldschmiedgasse

6

3

7

Kohlmarkt

Pestsäule

Schullin

5 Graben

STEPHANS-PLATZ

Habsburgergasse

Knize

STOCK-IM-EISEN PLATZ

U Stephansplatz

Bräunerstraße

2 Palais Equitable

Nos adresses de restaurants
sont signalées sur la carte par
le picto ➒. Pour plus de détails,
voir p. 90-95.

Dorotheergasse

Spiegelgasse

Jüdisches Museum 4

Sellergasse

Kärntner Straße

Weihburgg.

Plankengasse

Neuer Markt

100 m

Autour du Graben,
luxe et distinction

Tout a commencé au Moyen Âge, lorsqu'on
remblaya le Graben, l'ancien fossé du camp
romain, pour y bâtir tout autour des maisons
plutôt cossues. Aujourd'hui se sont glissées parmi
les dignes boutiques de la place, membres du
cercle fermé des anciens fournisseurs de la Cour,
quelques façades neuves assez audacieuses
– Knize, Schullin – édifiées par d'éminents
architectes. Voilà un habile jeu de cache-cache
qui fait le charme du Graben et invite à la flânerie.

❶ Haas-Haus★★
Stock-im-Eisen-Platz 4.

Dans la famille « constructions
controversées », la maison
Haas tient assez bien la route.
Conçue par l'architecte vedette
Hans Hollein (1990), cette
tour asymétrique, tout en verre
et marbre, permet pourtant à
la fois d'embrasser le Graben
d'un seul regard, depuis le
restaurant panoramique du
7e étage (Do & Co, ouv. t. l. j.
12h-15h et 18h-1h), de siroter
un thé à la turque (Onyx Bar
au 6e) et de dormir dans une
chambre ultra-design (Do &
Co Hotel, ☎ 24 188,
www.doco.com).

❷ Palais Equitable★★
Stock-im-Eisen-Platz 3.

Ce gros immeuble, qui devait
servir d'écrin à une compagnie
d'assurances new-yorkaise

(Equitable), constitue une parfaite illustration du goût de l'establishment viennois à la fin des années 1880 pour les styles historiques, le monumental, le néobaroque et, disons-le, la « frime ». Sa cage d'escalier est l'une des plus spectaculaires de la ville.

❸ Zur Schwäbischen Jungfrau★★

Graben 26
☎ 535 535 6
Lun.-ven. 10h-18h30, sam. 10h-17h.

Deux raisons de pousser la porte de la « Vierge Souabe » :
1°) elle a 285 ans !
2°) Madame Vanicek y vend avec le sourire et sur deux étages du linge de maison haut de gamme. Si le prix de la housse de couette en satin brodé façon Marie-Thérèse ou du peignoir

Jesurum vous paraît prohibitif, sachez qu'elle a aussi des coussins Etro à 90 € !

❹ Jüdisches Museum★★★

Dorotheergasse 11
☎ 535 04 31
Dim.-ven. 10h-18h.
Accès payant.
www.jmw.at

Aussi émouvantes qu'instructives, les expositions du Musée juif, installé dans le palais Eskeles, ont aussi le mérite d'embarrasser les quelques amnésiques qui préféreraient oublier qu'en 1938, 99 % des Autrichiens votèrent en faveur de l'annexion au Reich. Le café attenant, qui sert chocolat chaud et strudel au pavot, a relevé le nom d'une famille décimée par les nazis, Teitelbaum.

❺ Pestsäule★

Graben.

Leopold Ier avait fait vœu d'ériger une colonne de la peste, au milieu de la place, dès la fin de l'épidémie qui coûta la vie à plusieurs dizaines de milliers de Viennois. C'est Johann Bernhard Fischer von Erlach, l'auteur de toutes ses effusions baroques (1698), qui a prêté au fléau les traits d'une vieille femme fripée.

❻ Peterskirche★★

Petersplatz.

Entrez dans cette modeste imitation baroque de la basilique Saint-Pierre de Rome (1708) et laissez-vous surprendre par l'exubérante chaire de Mathias Steinl, par la fresque qui tapisse la coupole, chef-d'œuvre de Johann Michael Rottmayr, et par le *Martyre de saint Jean Népomucène*, patron de

la Bohême, devant lequel, dit-on, l'impératrice Élisabeth aimait à se recueillir…

❼ Demel★★★

Kohlmarkt 14
☎ 535 17 17
Lun.-dim. 10h-19h
Voir incontournable p. 79.

Élisabeth se recueillait-elle à la Peterskirche après ou avant d'avoir acheté ses langues-de-chat chez Demel ? L'histoire ne le dit pas. Ce que les Viennois ont surtout retenu, c'est que ce prestigieux confiseur, qui s'applique à les régaler depuis 200 ans avec une exquise correction, appartenait il y a peu à une banque… allemande. Mais rassurez-vous : cela n'a aucune incidence sur le goût de la *Linzertorte* ! Livraison dans le monde entier (www.demel.at).

❽ NAGLERGASSE★★

Si vous êtes fatigué des chichis du Graben, essayez la Naglergasse. Cette rue piétonne et intime, qui a conservé de jolies façades baroques ornées de bas-reliefs et d'angelots, pratique un shopping moins affecté, entre un *Stadtbeisl* au n° 13 (Hopferl, ouv. t. l. j. 11h-23h) et un *Stadtheuriger* rustique à souhait depuis 1683 : l'Esterházykeller (Haarhof 1, ouv. lun.-ven. 11h-23h, sam.-dim. 16h-23h).

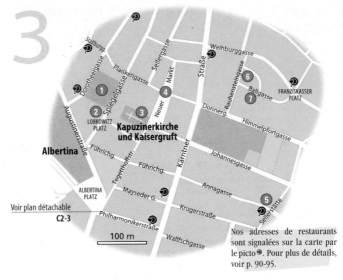

Nos adresses de restaurants sont signalées sur la carte par le picto ◐. Pour plus de détails, voir p. 90-95.

De part et d'autre
de la Kärntner Straße

La Kärntner Straße, qui jadis conduisait en Carinthie – *Kärnten* – et au port de Trieste, a toujours été l'artère commerçante du centre-ville : marchands et aubergistes y ont pignon sur rue depuis le XIIe s. Aujourd'hui, elle est sans doute un peu moins chic qu'à la veille de la Première Guerre mondiale, mais elle est exclusivement piétonne. Raison de plus pour s'offrir une petite incursion dans les rues adjacentes, entre le Neuer Markt et la Franziskanerplatz.

palais viennois (1687). À côté de la salle Eroica, où fut donnée pour la première fois la *Symphonie héroïque* de Beethoven, une petite pièce est consacrée aux marionnettes de Richard Teschner (1879-1948).

❶ Dorotheum★
Dorotheergasse 17
☎ 515 60 200
Lun.-ven. 10h-18h.

On vend de tout dans cette « salle des ventes mont-de-piété » : des chandeliers Empire, des vases Gallé, de précieux timbres, mais aussi des armes, des uniformes et des hélicoptères. Les enchères débutent généralement à 14h

(calendrier disponible sur place et sur le web : www.dorotheum.com).

❷ Theatermuseum★
Lobkowitzplatz 2
☎ 525 24 610
Mar.-dim. 10h-18h.

La visite du musée du Théâtre autrichien est surtout l'occasion de voir d'un peu plus près l'intérieur d'un

❸ Kaisergruft★★

Neuer Markt
☎ 512 68 53 12
T. l. j. 10h-18h.

Les Habsbourg avaient l'insigne « privilège » d'être disséqués après leur mort. Leur dépouille était ensuite dispersée entre le Stephansdom (les viscères), l'Augustinerkirche (le cœur) et cette crypte de l'église des Capucins où sont conservés

les corps de 139 membres de la dynastie, d'Anne (†1618) à Zita (†1989). Ne manquez pas le délirant sarcophage de l'impératrice Marie-Thérèse, en forme de lit de parade rococo.

❼ BALLGASSE 4★★★

Cette maison, construite en 1780 autour d'une cour intérieure, est l'un des joyaux de la vieille ville. Très habilement réhabilitée en 1998, elle accueille aujourd'hui ateliers et galeries. Les Hegenbart, menuisiers depuis cinq générations, y restaurent meubles et miroirs, l'orfèvre Christian Köhler y expose ses bijoux et Andreas Franek ses lustres.
☎ 513 13 31 ou 512 05 75
Mar., jeu., ven. 14h30-18h, mer. et sam. 11h-16h.

❹ Donnerbrunnen★

Neuer Markt.
La même Marie-Thérèse détestait cette fontaine, qui est pourtant la plus gracieuse de Vienne : choquée par leur nudité, elle avait fait enlever de la margelle les quatre statues qui représentent quatre affluents du Danube. L'une d'entre elles tourne ostensiblement les fesses vers les fenêtres d'un commanditaire dont le sculpteur, Georg Raphael Donner, voulait se venger.

❺ Haus der Musik★★★

Seilerstätte 30
☎ 516 48 51
T. l. j. 10h-22h
Accès payant
Voir incontournable p. 78.
Même si vous n'êtes pas d'humeur à pianoter sur une console ou à titiller un arbre à sons, prenez le temps de visiter les 5 000 m² de ce tout nouveau palais sensoriel : il vous rappellera que Vienne

est toujours un haut lieu de la musique. Et comme c'est interactif et ludique en diable, vous pourrez en profiter pour produire votre propre CD et diriger *Le Beau Danube bleu*. Mais attention, la patience de l'orchestre a ses limites…

❻ Gigerl★★

Blumenstockgasse 2
☎ 513 44 31
Lun.-ven. 15h-1h, sam. 11h-2h, dim. 11h-1h.

Vous pourrez vous y reposer de l'agitation fébrile de la rue tout en soignant l'épicurien qui sommeille en vous : Gigerl – comme l'indique la brassée de branches de pin accrochée au-dessus de la porte – est un *Stadtheurige*. L'usage veut que vous alliez chercher vous-même au buffet les petits plats, froids ou chauds, qui accompagneront votre dégustation de vins frais et légers des dernières vendanges.

Nos adresses de restaurants sont signalées sur la carte par le picto ➋. Pour plus de détails, voir p. 90-95.

Du côté du palais Ferstel

Longtemps, ce quartier fut l'une des adresses les plus élégantes et les plus aristocratiques de Vienne. Vous aurez tout loisir de le vérifier en feuilletant les façades baroques des palais des Harrach, Batthyány-Schönborn, Kinsky et autres conseillers privés de Sa Majesté, qui ne s'imaginaient sans doute pas qu'un dénommé Lev Bronstein, dit « Trotski », pourrait un jour avoir ses habitudes dans le café si sélect du palais Ferstel.

❶ Café Central★★★

Herrengasse 14
☎ 533 37 64 26
T. l. j. 8h-0h.
Café mythique s'il en est, le Central, situé à l'intérieur du palais Ferstel, connut ses heures de gloire dans les années 1900, grâce aux intellectuels de l'avant-garde viennoise qui y avaient leur place attitrée. La clientèle est désormais plus touristique que littéraire, mais on peut encore y déguster une

Palatschinke à l'abricot en admirant les frises d'étoiles et les chapiteaux fleuris.

❷ Am Hof★

« À la Cour » : c'est ainsi que les Viennois appellent cette place depuis que Henri Jasomirgott de Babenberg, premier duc d'Autriche, y édifia sa résidence (XIIᵉ s.). Am Hof est aujourd'hui dominée par la façade baroque de l'église jésuite, œuvre de Carlo Antonio Carlone (1662), et par une colonne dont les angelots symbolisent

les quatre fléaux qui frappèrent Vienne : la guerre, la peste, la famine et l'hérésie.

❸ Kurrentgasse★★★

On a beau jouer les blasés, cette ruelle, bordée de maisons du XVIIIe s., reste l'une des plus adorables de la ville, avec ses badigeons rose bonbon, ses statues et ses volutes. Elle débouche sur la Judenplatz, cœur du ghetto médiéval (1294-1421), où l'on vient d'exhumer les vestiges d'une synagogue.

❹ Alpe Adria★

Am Hof 11
☎ 535 16 55
Lun.-ven. 10h-19h (jeu. jusqu'à 20h), sam. 10h-16h.

Le Carinthien Hannes Tschemernjak est un caviste passionné qui approvisionne les Viennois, au prix de gros, en bons vins du terroir. Il a une sélection très pertinente de

crus du Burgenland (comme le pinot noir Heinrich Gernot du lac de Neusiedl) et de Styrie méridionale (le morillon de Manfred Tement) mais il garde un petit faible pour les cépages de sa région, entre Alpes et Adriatique. Et on ne va pas lui en vouloir ! Livraison à domicile dans toute l'Europe.

❺ Kunstforum★

Freyung 8
☎ 537 33 26
T. l. j. 10h-19h (21h le ven.)
Accès payant.
www.ba-ca-kunstforum.at
Depuis 1989, la Bank Austria présente ici des expositions temporaires liées à l'art des XIXe et XXe s. : certaines un peu passe-partout, comme « Les chefs-d'œuvre du Guggenheim », d'autres plus inédites, consacrées à des artistes expressionnistes que l'on voit trop peu en

France, tels Emil Nolde et Ernst-Ludwig Kirchner.

❻ Museum im Schottenstift★

Freyung 6
☎ 534 98 60
Jeu.-sam. 11h-17h
Accès payant.

Ne vous fiez pas aux apparences : les sobres façades classiques (1832) de ce monastère bénédictin que l'on appelle « des Écossais » – bien qu'il ait été fondé pour accueillir des moines irlandais – masquent deux belles salles baroques, une collection de natures mortes hollandaises et de précieux retables du XVe s.

❼ Demmers Teehaus★★

Mölkerbastei 5
☎ 533 59 95
Lun.-ven. 9h-18h, sam. 9h30-13h30.

Dans cette élégante maison de thés, dont la déco tout en teck et en bois de santal a été conçue par l'architecte Luigi Blau en 1981, vous pourrez goûter 150 variétés différentes de thés et quelques spécialités maison, comme le *wiener Apfelstrudel* et l'*Obstgarten*. À marier avec un gâteau ou un *tramezzini*.

❽ DREIMÄDERLHAUS★

La rumeur laisse entendre que cette jolie demeure, festonnée de guirlandes Biedermeier, était la garçonnière de Schubert, qui y aurait installé trois de ses amantes. Elle est située à deux pas de la Pasqualatihaus (Mölkerbastei 8, ouv. mar.-dim. 10h-13h et 14h-18h) où Beethoven composa trois symphonies, les quatuors *op. 59*, ainsi que *Fidelio*.

« Maison des trois jeunes filles », Schreyvogelgasse 10.

5

Griechische Kirche

Griechengasse
Fleischmarkt
Postgasse

Wiesingerstraße

Voir plan détachable
C2/D2

Postsparkasse

Biberstraße

G. COCH-
PLATZ

LUGECK

Sonnenfelsgasse
Bäckerstraße
Wollzeile
Schönlaterngasse

Barbarag.
Jordang.

Rosenbursenstr.

Jesuitenkirche

Postgasse
Dominikanerbastei
Falkestraße
Biberstraße

Stubenring

OSKAR
KOKOSCHKA
PLATZ

Schulerstr.
Riemerg.
Wollzeile
Zedlitzg.

DR. KARL
LUEGER PL.

Museum für
angewandte
Kunst
(MAK)

Schallautzerstraße
Wien
Fluss

Weiskirchnerstr.

Nos adresses de restaurants
sont signalées sur la carte par
le picto ❧. Pour plus de détails,
voir p. 90-95.

100 m

Stubenviertel,
baroque et ludique

Que diriez-vous d'un petit safari-photo dans le nord-est du 1er arrondissement, entre les stations de métro Stubentor et Schwedenplatz ? Ce quartier, l'un des plus attachants de la ville, vous attend avec un lacis de ruelles et d'arrière-cours, des enfilades de façades fraise et pistache, quelques *Beisl* où l'on s'égaye jusqu'à minuit et surtout un musée, le MAK, où vous pourrez zoomer sur le sofa de Hans Hollein et les chapeaux années 1950 d'Adele List.

❶ Museum für angewandte Kunst★★★

Stubenring 5
☎ 711 36 0
Mar. 10h-0h,
mer.-dim. 10h-18h
Accès payant
Voir incontournable p. 73.

Peter Noever, directeur de ce génial musée des Arts appliqués, a fait appel à des artistes contemporains pour installer ses collections. Avant de vous plonger dans les salles d'études au sous-sol, allez voir les sièges Jugendstil de Thonet, qui apparaissent en ombres chinoises derrière des écrans translucides.

❷ Österreicher im MAK★★

☎ 714 01 21
T. l. j. 10h-1h.

La mode étant aux expositions « actives », on sort parfois du MAK à bout de souffle. Après avoir parcouru en tous sens de grands halls obscurs et franchi des passerelles en plein air revêtus d'un plaid bleu pétrole, les visiteurs exténués

se retrouvent au Café, l'une des cantines les plus trendy du moment. Il y a des pâtes au saumon à 12 € et la déco, signée Eichinger & Knechtl, est hyper sympa.

❸ Postsparkasse★★★
Georg-Coch-Platz 2.

La PSK, ou Caisse d'épargne de la Poste, est l'une des œuvres majeures d'Otto Wagner, qui a pensé les moindres détails esthétiques et fonctionnels du bâtiment en utilisant des matériaux révolutionnaires pour l'époque (1904-1906). Dans la salle des guichets (Bibergasse, lun.-ven. 8h-15h, jeu. 17h30, sam. 10h-17h), on vend des rééditions d'objets dessinés par l'architecte et ses élèves.

❹ Griechische Kirche★
Fleischmarkt 13.

Offrez-vous un petit dépaysement gréco-oriental en poussant la porte de cette église orthodoxe, construite par Theophil von Hansen en 1861, toute rutilante des ors de Byzance. Ceux qui se droguent à l'encens reviendront pour l'office du

dimanche (11h-12h), histoire de profiter aussi des hymnes et de la magie des icônes.

❺ Schönlaterngasse★★

Voici une rue tortueuse et romantique à souhait, bordée de charmantes maisons médiévales comme la Basiliskenhaus (n° 7) ou la vieille forge (n° 9), qui se fait encore plus pittoresque le soir, à l'heure où les lanternes éclairent ses façades peintes de couleurs pastel. Robert et Clara Schumann vécurent au n° 7a.

❻ Heiligenkreuzer Hof★★
Accès par le Schönlaterngasse 5.

Ici, pas d'ors byzantins ni de façades peintes : rien qu'une cour ravissante, aussi blanche que silencieuse, où se cachent

un trio d'arbres et de rosiers grimpants, une chapelle dédiée à saint Bernard, un atelier de luthier (Christoph Schachner), un bon restau (Hollmann Salon, lun.-sam. 11h-21h) ainsi que la « prélature » du XVIIIe s., dont on vient de restaurer les stucs.

❼ Jesuitenkirche★★
Dr. Ignaz-Seipel-Platz 1.

L'église des jésuites, auxquels Ferdinand II avait confié l'enseignement de la philosophie et de la théologie dans l'université voisine, illustre à merveille la fièvre baroque qui s'est emparée de Vienne au début du XVIIIe s. Un cadre opulent où les colonnes torses en marbre vert et rose sont assorties à la chaire et aux trompe-l'œil de la coupole.

❽ ALT WIEN★

Avec son éclairage parcimonieux, son air raréfié et ses murs tapissés d'affiches, l'Alt Wien est le prototype du café bohème et alternatif. On squatterait ses banquettes lie-de-vin du matin au soir, pour le seul plaisir de savourer l'ambiance, aussi authentique que l'usure du carrelage. En-cas à partir de 6,50 €.

Bäckerstraße 9,
☎ 512 52 22 ; t. l. j. 10h-2h.

6

Nos adresses de restaurants sont signalées sur la carte par le picto ☻. Pour plus de détails, voir p. 90-95.

Voir plan détachable
B2-3/C2-3

Hofburg,
le quartier des musées

Le gigantesque palais de la Hofburg, (voir incontournable p. 82) qui compte dix-huit bâtiments et une vingtaine de cours, fut pendant six siècles le siège du pouvoir de la monarchie autrichienne. Même si vous ne pouvez visiter qu'une part infime de ses 2 600 pièces, il vous montrera Vienne sous son jour le plus impérial. Formidable concentration de chefs-d'œuvre, il est prolongé par un musée exceptionnel, le KHM.

❶ Café Griensteidl★
Michaelerplatz 2
☎ 535 26 93
T. l. j. 8h-23h.

Comme votre promenade sera très Habsbourg, mieux vaut la commencer en commandant un *Maria-Theresia* – double moka avec un doigt de liqueur d'orange et de crème fouettée – dans ce qui fut le premier café littéraire de Vienne. Surnommé « Café Grössenwahn » (« Folie des grandeurs »), il était fréquenté par Schnitzler et Hofmannsthal.

❷ Looshaus
Michaelerplatz 3
Lun.-mer. et ven. 9h-15h, jeu. 9h-17h30.

En 1911, la construction de cet immeuble provoqua un tollé général. On obligea l'architecte, Adolf Loos, à placer des jardinières devant les fenêtres pour tempérer l'austérité de la façade que l'empereur, qui avait ses bureaux juste en face (voir p. 35), jugeait particulièrement obscène…

❸ C. Bühlmayer★

Michaelerplatz 6
☎ 533 10 49
Mar.-ven. 9h-18h,
sam. 9h-13h.

Un atelier caché au fond de Michaelerhof, où M. Haider reprise les vieux miroirs, dore à la feuille, brunit à la pierre d'agate, décape les staffs et réalise avec amour une cascade de médaillons ovales et d'encadrements chantournés pour mettre vos tableaux en valeur.

❹ Lipizzaner Museum★

Reitschulgasse 2
☎ 525 24 583
T. l. j. 9h-18h.
Accès payant.
Vis. guidée le dim. à 12h30.
À défaut de pouvoir assister, juste en face, aux séances d'entraînement du manège espagnol (mar.-sam. 10h-12h), faites un saut dans le musée consacré à l'histoire des lipizzans et de leur haras. Le clou de la visite : les uniformes des écuyers et les écuries des étalons, de toute beauté !

❺ National bibliothek★★★

Josefsplatz 1
☎ 534 10 397
Mar.-dim. 10h-18h
(21h le jeu.)
Accès payant.
Changement de décor : ici, on respire le baroque à pleins poumons. La salle d'apparat de la Bibliothèque nationale,

édifiée sur les plans des Fischer von Erlach père et fils (1722-1737), ruisselle de livres aux précieuses reliures, de statues à la gloire des Habsbourg et de fresques en trompe-l'œil.

❻ Albertina★★★

Albertinaplatz 1
☎ 534 830
T. l. j. 10h-18h (21h le mer.)
Accès payant.

Le duc Albert de Saxe-Teschen serait sans doute étonné de voir ce qu'est devenu son cabinet d'art graphique : l'un des plus riches du monde avec 45 000 dessins et 1 500 000 gravures de Dürer, Rembrandt, Rubens, Kubin, etc., présentés, au compte-gouttes, à l'occasion d'expos temporaires. Le cadre, superbement restauré par Hans Hollein, est agrémenté, pour la pause, d'un Do & Co (t. l. j. 9h-0h) où l'on sert brochettes de fruits de mer et risotto au safran…

❼ Neue Burg★★

Heldenplatz
☎ 525 240 ou 534 300
Mer.-lun. 10h-18h
Accès payant.
Cette excroissance de la Hofburg accueille de riches collections : la *Hofjagd und Rüstkammer*, avec ses armures de parade, et le Museum für Völkerkunde, dont les masques japonais et les échantillons de tissus rapportés des îles Hawaii par l'explorateur James Cook rivalisent d'élégance avec la parure aztèque en plumes de quetzal.

❽ KUNSTHISTORISCHES MUSEUM★★★

Le KHM, c'est du plaisir à l'état pur, surtout depuis que son conservateur l'a sorti de sa léthargie en y organisant des expositions. Parmi les stars du musée, *Suzanne et les vieillards* du Tintoret (salle III), les vues de Bernardo Bellotto (salle VII) et les *Chasseurs dans la neige* de Bruegel (salle X).

Maria-Theresien-Platz, ☎ 525 24 0
Mar.-dim. 10h-18h, jeu. jusqu'à 21h ; accès payant
Voir incontournable p. 81.

Nos adresses de restaurants sont signalées sur la carte par le picto ➒. Pour plus de détails, voir p. 90-95.

Spittelberg,
romantique et bohème

C'est à l'approche de Noël, sous la neige, que Spittelberg se fait le plus charmeur. Ce quartier autrefois populaire, où les artistes et les soldats venaient s'encanailler aux côtés de femmes légères, attire aujourd'hui intellos, architectes, touristes et… babas cool. Son marché artisanal est peut-être un peu kitsch, mais qu'importe : au pied des jolies façades baroques et Biedermeier de Spittelberg, ce qui est kitsch paraît toujours moins kitsch.

❶ Naturhistorisches Museum★★★

Maria-Theresien-Platz
☎ 521 77 0
Mer. 9h-21h,
jeu.-lun. 9h-18h30
Accès payant.

Tous les enfants de Vienne connaissent le musée d'Histoire naturelle et sa pièce maîtresse, la Vénus de Willendorf, qui date de 25 000 ans avant l'invention des régimes minceur. Si cette figurine, symbole de fécondité, vous laisse indifférent, courez voir les admirables papillons de la salle 24, le crabe géant de la baie de Tokyo et le gavial du Gange (salle 28). Frissons garantis.

❷ Museums Quartier★★★

Museumsplatz 1-5
☎ 523 58 81 1730
Incontournable p. 74-75.

Inauguré en 2001, ce complexe culturel – l'un des dix plus grands du monde – a déjà attiré près de 2 millions de visiteurs. Il est vrai qu'il y a là, derrière les

anciennes écuries impériales, un musée d'Art moderne (le « Mumok »), de superbes tableaux d'Egon Schiele (Leopold Museum, mer.-lun. 10h-19h, jeu. jusqu'à 21h, www.leopoldmuseum.org) et toutes sortes de manifestations pluridisciplinaires et interactives...

❸ Das Möbel★★★

Burggasse 10
☎ 524 94 97
T. l. j. 10h-1h.

Plus de doute, les Viennois ont des idées à revendre en matière de cafés. Avec Das Möbel, ils ont inventé le farfelu concept

« je-me-prends-un-demi-tout-en-essayant-un-meuble ». Les sam. et dim. à partir de 10h, vous pourrez même bruncher assis sur un siège à ressorts et guidon de vélo, devant une table qui a tout d'une tondeuse. PS : tous les meubles sont à vendre.

❹ Witwe Bolte

Gutenberggasse 13
☎ 523 14 50
T. l. j. 12h30-23h30.

Vous préférez sacrifier aux plaisirs du rôti de porc aux boulettes de pommes de terre, du foie de veau au genévrier et autres *schmankerl* (« douceurs ») maison ? Rien de plus simple ! Cette auberge,

où touristes et Viennois s'attablent au coude à coude, propose une cuisine de grand-mère – pas vraiment allégée certes, mais à prix corrects – et des dégustations de vins à la clé.

❺ Holzer Galerie★

Siebensterngasse 16
☎ 523 72 18
Lun.-ven. 10h-18h,
sam. 10h-17h.

Passionné de Jugendstil et d'Art déco, Werner Holzer a rempli les 600 m² de son showroom de beaux cabinets en érable laqué, de vases à motifs noirs sur fond crème et de chaises à petits trous carrés pour nous rappeler qu'au début du siècle dernier, Vienne était emportée par un formidable élan artistique. Annexes dans la Kirchengasse (n° 30) et la Siebensterngasse (n° 32-34).

❻ Shultz★★

Siebensterngasse 31
☎ 522 91 20
Lun.-sam. 9h-2h,
dim. 18h-2h.

QG des trentenaires à la page, Shultz est un bar de jour épatant, « comme qui dirait » californien, où les daiquiris sont excellents et les serveurs plus gentils les uns que les autres. On y sert aussi des en-cas – genre *Bagel* au rosbif et fromage aux herbes – sur fond de bonne musique.

❼ WIENER KONFEKTION★

« WK », c'est depuis 2004 un show-room sympa qui accueille un florilège de vêtements pimpants et printaniers, en lin, éponge ou jersey, conçus par deux stylistes aussi viennoises que créatives : Maria Fürnkranz-Fielhauer, diplômée des Arts appliqués, et Doris Bittermann, une ancienne du Collège de mode Michelbeuern. De quoi égayer votre penderie !

Siebernsterngasse 20,
☎ (0699) 116 72 752
Mer.-ven. 12h30-18h30,
sam. 11h-17h.

Voir plan détachable
A3/B3

Nos adresses de restaurants sont signalées sur la carte par le picto ⑨. Pour plus de détails, voir p. 90-95.

Mariahilf,
les tentations du shopping

La **Mariahilfer Straße** est le plus long *shopping-mall* d'Autriche. Elle déroule ses six cents vitrines et ses prix raisonnables sur 2 km entre la gare de l'Ouest et le centre-ville. Vous y trouverez toutes sortes de boutiques sport, jeunes et décontractées, et un « magasin » qui n'a rien à vendre mais qui devrait vous donner plein d'idées pour redécorer votre séjour : le **Hofmobiliendepot**, le plus grand garde-meubles du monde.

❶ Rag★

Mariahilfer Straße 20
☎ 523 67 97
Lun.-ven. 10h-19h, sam. 10h-18h.

Une boutique de street wear, très prisée des jeunes générations, où l'on retrouve les best-sellers du jean, bien sûr, mais aussi des tee-shirts extra larges Butane, des chemises ado, des Caterpillar et toutes sortes de fringues qui font le bonheur de la clientèle hip-hop et skateboard. À ne rater sous aucun prétexte !

❷ Turek Workshop Company★★

Mariahilfer Straße 24
☎ 523 17 56
Lun.-ven. 10h-19h (20h le jeu.), sam. 9h30-18h.

Avec ses vestes G-Star en denim hyper résistant et ses gros pulls Forest Nature, Turek a un succès fou auprès des Viennois, et ce n'est que justice : les prix sont doux et tous les labels du moment sont au rendez-vous (la collection de pantalons de golf Alberto, conçue par Alex Cejka, le prêt-à-porter de la chaîne danoise 4you, etc.).

❸ Peek & Cloppenburg★

Mariahilfer Straße 26-30
☎ 523 56 10
Lun.-mer. 10h-19h, jeu.-ven. 10h-20h, sam. 9h30-18h.

Rien de tel qu'un tour d'escalator au cœur des grands magasins de Mariahilf

pour se sentir immédiatement dans la peau d'un acheteur compulsif. Chacun a sa *special touch* : meubles chez Leiner (n° 18), fruits et légumes chez Gerngross (nos 42-48, « Merkur »). Côté mode, le plus attrayant reste P & C où vous dénicherez Diesel men au sous-sol, Tommy Hilfiger au r.-d.-c. et DKNY au 2e étage.

4 Mariahilfer Kirche★
Mariahilfer Straße 55.

Autre avantage de cette large avenue : elle n'écrase pas les perspectives et laisse suffisamment de recul pour apprécier la composition d'une façade baroque ou la grâce d'un clocher à bulbe. L'église, bâtie entre 1686 et 1689 par Sebastiano

Carlone, conserve de belles orgues et une jolie balustrade.

5 Komolka★
Mariahilfer Straße 58
☎ 523 71 84
Lun.-sam. 9h30-18h.

Trois étages de rouleaux de tissus en veux-tu en voilà, dans une foule de coloris, de matières et – ce qui ne gâte rien – à des prix défiant toute concurrence. Parmi les têtes d'affiche : des imprimés à

fleurettes pour se tailler un Dirndl, de la soie doupion à 62 € le m, mais aussi du Lurex jersey et brocart fuchsia à faire pâlir les échappé(e)s de la dernière techno parade.

6 Vapiano★★
Theobaldgasse 19
☎ 581 12 12
T. l. j. 11h-1h.

La chaîne allemande Vapiano, spécialisée dans le fast good, la « restauration rapide mais bonne », trace sa route. Elle vient d'ouvrir à Vienne un nouveau spot, qui fait déjà fureur auprès des jeunes urbains de Neubau : une pizzeria bien dans l'esprit du temps, avec de vrais petits oliviers, des pots de basilic pour la touche healthy, une

déco signée Matteo Thun... Bref, de 5,50 à 8,50 €, tout est tendance et *al dente*. Pensez à prendre une carte magnétique à l'entrée !

7 KAISERLICHES HOFMOBILIENDEPOT★★★

Dans ce fabuleux musée sont entreposés les meubles que la Cour emportait lors de ses déplacements et ceux qui ornaient les châteaux impériaux : trônes de voyage, candélabres, armoires à double-fond, cabinets incrustés de lapis lazuli, repose-pieds... Au total, 165 000 objets et de superbes reconstitutions, dont la chambre turque de Rodolphe.

Andreasgasse 7, ☎ 524 33 570
Mar.-dim. 10h-18h ; accès payant : (billet Sisi)
Voir incontournable p. 80.

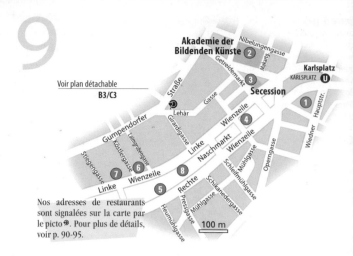

9

Voir plan détachable
B3/C3

Akademie der
Bildenden Künste **2**

3

Secession

Karlsplatz
KARLSPLATZ **U**

1

4

7   **6**

8

5

Nos adresses de restaurants
sont signalées sur la carte par
le picto **◉**. Pour plus de détails,
voir p. 90-95.

100 m

Naschmarkt,
les coulisses d'un marché

Le plus grand marché de la ville, qui s'étire tout en longueur entre Karlsplatz et Kettenbrückengasse, a déjà 100 ans. Et comme il est aux premières loges, il a tout vu : les immeubles Art nouveau d'Otto Wagner, les provocations des sécessionnistes, les batailles rangées autour de la halle d'art contemporain. Les ménagères viennoises ne s'embarrassent guère de ces extravagances : elles continuent de palper fruits et légumes avec la même moue dubitative.

❶ Kunsthalle★
(Project Space)

Treitlstraße 2
☎ 521 89 33
Mar.-sam. 16h-minuit,
dim.-lun. 13h-19h
Accès libre.

Les plus sceptiques la
surnomment Kunstschachtel,
« Boîte à art ». Les expos
d'artistes contemporains
qui se succèdent depuis 1992
dans ce container de verre

signé Adolf Krischanitz
ne manquent pourtant
pas d'intérêt. Entre deux
happenings, attardez-vous
à la cafétéria (t. l. j. 10h-2h),
afin d'admirer le grand griffon
qui épingle la bibliothèque de
l'université technique.

❷ Akademie der
Bildenden Künste★★

Schillerplatz 3
☎ 588 16 225
Mar.-dim. 10h-18h
Accès payant.

Cet imposant édifice, bâti
par Theophil Hansen (1871),
renferme au 1er étage une

galerie de peinture, peu connue du grand public, que l'on visitera moins pour ses Guardi et ses Rubens que pour le *Triptyque du Jugement dernier* de Jérôme Bosch, un bon résumé des horreurs que nous réserve le châtiment éternel.

❸ Secession★★

Friedrichstraße 12
☎ 587 53 07
Mar.-dim. 10h-18h,
jeu. jusqu'à 20h.
Accès payant.

Œuvre maîtresse du Jugendstil, le pavillon des sécessionnistes viennois est un joli pied de nez édifié par J.-M. Olbrich (1898), en réaction contre les palais académiques et empesés du Ring. Au sous-sol, fragments d'une longue frise que Gustav Klimt avait dédiée à Beethoven.

❹ Gegenbauer★★★

Stand n° 111-114
☎ 581 24 43
Lun.-ven. 9h-19h,
sam. 8h-17h.

Erwin Gegenbauer connaît l'art du grand vinaigre sur le bout de la langue. Son stand aligne avec bonheur les élixirs qu'il élève en fût de chêne dans les caves voûtées de la distillerie fondée par son grand-père (Waldgasse 3, M° Keplerplatz, visite possible). Des breuvages subtils, strictement naturels, sans aucun additif, tirés de pommes du terroir telle la Marschanska de Styrie, d'exquises framboises ou de vins rares comme le Bouvier d'Apetlon, dont trois gouttes suffisent à éblouir un poisson grillé. Un miracle d'harmonie !

❺ Naschmarkt★★★

Wienzeile
Lun.-ven. 6h-18h30,
sam. 6h-17h.

Y faire son marché est un plaisir. Les maniaques du bio pourront y tâter de la volaille élevée au grain et du *Langfladen* cuit au feu de bois. Les câpres et les feuilles de vigne se mêlent, dans un joyeux brouhaha de langues d'Europe centrale, à la choucroute, aux saucisses chaudes, aux pastèques à la coupe et aux douceurs mielleuses de l'Orient. Prix et qualité moindres, côté ouest.

❻ Café Savoy★

Linke Wienzeile 36
☎ 586 73 48
Lun.-ven. 17h-2h, sam. 9h-2h.

Il faut venir ici le samedi, sur le coup de midi, pour le café ou l'apéro. Le Savoy attire tous les badauds du Naschmarkt et du marché aux puces : un cocktail sympathique (50 % straight, 50 % gay et 100 % chineur) venu reprendre son souffle sur les banquettes de moleskine. Côté son aussi, ça déménage, même si l'on flirte surtout avec Abba et Dalida.

❼ Wienzeilehäuser★★★

Linke Wienzeile 38 et 40
Köstlergasse 1 et 3.

L'architecte Otto Wagner rêvait d'aménager toute la Wienzeile en boulevard Jugendstil. Il ne put réaliser que les stations de métro et ces deux immeubles (1899), ornés d'un rosier en carreaux de céramique, de stucs, de médaillons dorés, et dotés, à l'intérieur, de très belles cages d'ascenseur.

❽ DELI★★

Ce n'est pas seulement un tout nouveau bar take-away où l'on déjeune en musique dans une ambiance assez survoltée le samedi. C'est aussi l'un des rares endroits de Vienne où, tous les jours, les lève-tard peuvent petit-déjeuner jusqu'à 16h – oui, vous avez bien lu : 16h – pour 5,50 €. Au choix : breakfast bio, viennois, parisien ou… turc avec fromage, olives, *börek* et pita.
Stand n° 421-436, en face du Linke Wienzeile 22.

10

Otto Wagner-Pavillon

Karlskirche

Palais Schwarzenberg

Belvédère inférieur

Voir plan détachable
C3-4/D3-4

Belvédère supérieur

Alpengarten

200 m

Du Ring
au Belvédère

Le « Ring distingué » : c'est ainsi que l'on appelle ce quartier où dandys et banquiers, dames en vison et nobles à monocle se donnaient rendez-vous, jadis, le long de la voie triomphale qui monte en pente douce jusqu'aux salons du Belvédère. Pour pénétrer cette société viennoise, si brillante et si désuète, jetez un œil sur les palais des ducs de Wurtemberg, des princes de Schwarzenberg et ceux des Savoie-Carignan : ils n'ont rien perdu de leur lustre.

❶ Rosenkavalier★★
Kärntner Ring 13
☎ 512 61 90
Lun.-ven. 10h-19h,
sam. 10h-18h.

Un fleuriste qui vaut une promenade à lui seul. Compositions insolites et odorantes, bouquets épanouis, branches de bouleaux et autres végétaux sur coussins de mousse et terre cuite : tout ce que vous rêvez d'offrir ou de faire pousser sur votre

balcon est concentré là, dans une mini-boutique au rez-de-chaussée des Ringstrassen-Galerien. Rafraîchissant.

❷ Hotel Imperial★★★
Kärntner Ring 16
☎ 501 10 0.

Si voulez voir à quoi ressemble le fameux style Ringstraße, c'est le moment ou jamais de pousser la porte de l'Imperial qui, de l'avis général, est, sinon le plus bel hôtel du monde, du moins le plus huppé des palaces viennois. Bien sûr, il vaut mieux éviter une tenue trop destroy au moment où vous passerez devant la haie de *butlers* en nœuds pap' et gants blancs, mais l'escalier en marbre et les gâteaux du café valent bien quelques concessions.

❸ Otto Wagner-Pavillon★★★

Karlsplatz
☎ 505 87 47
Mar.-dim. 9h-18h avr.-oct.

En 1894, l'architecte Otto Wagner fut chargé de concevoir les stations, les ponts et les viaducs du métro viennois. Quatre ans plus tard, il réalisait, en collaboration avec Josef Maria Olbrich, les deux ravissants pavillons en vis-à-vis de la Karlsplatz qui allaient bientôt constituer, avec leur structure métallique et leurs motifs floraux, de parfaits exemples d'un art nouveau, le Jugendstil.

❹ Karlskirche★★

Karlsplatz
Lun.-sam. 9h-12h et 13h-18h, dim. 13h-18h.

Saint-Charles, la plus pompeuse des églises baroques de Vienne, trône sur la place comme une pièce montée que l'on aurait saupoudrée d'ingrédients romains (le portique), ottomans (les

colonnes-minarets) et chinois (les toits en pagode). Le tout fut bâti en 1722 par les soins de J.-B. Fischer von Erlach avec les deniers des différentes nations de l'Empire. À l'intérieur, moins sucré qu'on ne l'imagine, de pâles fresques de Rottmayr à peine rehaussées de bleu et de vieux rose…

❺ Palais Schwarzenberg★★★

Schwarzenbergplatz 9
☎ 79 84 51 56 00
Réouverture prévue : 2008.

On ne saurait rêver cadre plus magique pour savourer une terrine de foie gras ou un homard au chablis. À défaut de loger dans le palais-hôtel du prince Schwarzenberg, offrez-vous le luxe d'un déjeuner à la terrasse de son restaurant. Le style, vous l'auriez parié, est baroque – architecte Johann

Lukas von Hildebrandt, 1704 – et le parc, l'un des rares qui ait été conservé dans son intégralité (7 hectares).

❻ Belvédère★★★

Prinz-Eugen-Srasse 27
☎ 795 57 134
T. l. j. 10h-18h
Accès payant
Voir Incontournable p. 72.
Autre demeure baroque : celle du prince Eugène de Savoie, grand vainqueur des Turcs. Sa propriété, le Belvédère, se compose de deux châteaux – « l'inférieur » et le « supérieur » – tous deux construits par Hildebrandt. Le premier (entrée aussi par le Rennweg 6a) accueille des expositions temporaires. Le second abrite des œuvres d'art médiévales et baroques, ainsi qu'une collection de toiles Biedermeier et Sécession dont *Le Baiser* de G. Klimt.

❼ ALPENGARTEN★★

Lorsqu'il fait beau, des flots de touristes déambulent parmi les statues et les bosquets du parc du Belvédère, dessiné au XVIIIe s. par le paysagiste Dominique Girard. Solution de repli : le jardin alpestre. C'est moins casse-cou qu'une randonnée en montagne et presque aussi instructif. L'occasion rêvée de voir des edelweiss et autres spécimens de la flore autrichienne dûment étiquetés.
Prinz-Eugen-Strasse 27,
☎ 798 31 49
De mi-mars à mi-août
t. l. j. 10h-18h.

11

Schönbrunn,
le « Versailles autrichien »

Et si vous passiez une journée à Schönbrunn, parmi les parterres de fleurs, les bassins et les fausses ruines romaines ? L'air y est pur, le cadre grandiose. C'est vrai que l'entrée du palais, bâti en 1696 par Fischer von Erlach, a désormais un faux air de check-in d'aéroport – il faut penser à repérer sur son billet le numéro de la porte et l'heure précise de son… embarquement – mais le charme opère encore. Pour peu qu'il n'y ait pas trop de monde (voir incontournable p. 77).

❶ Prunkräume★★★

☎ 811 13 239
Avr.-oct. t. l. j. 8h30-17h, (jusqu'à 18h en été), nov.-mars t. l. j. 8h30-16h30
Accès payant : (billet Sisi).

Le château de Schönbrunn n'est qu'une longue suite de décors rocaille, de lambris blanc et or, de cabinets secrets et d'escaliers dérobés (il existe même çà et là des trappes qui permettaient de faire monter des cuisines une table dressée, lorsqu'on ne souhaitait pas être dérangé par les serviteurs). Les salles les plus séduisantes restent la grande galerie (n° 21), le cabinet chinois (n° 24) et le

cabinet de porcelaine (n° 31) où tout – hormis le lustre – n'est que trompe-l'œil.

❷ Wagenburg★★★

☎ 525 24 724
D'avr. à oct. t. l. j. 9h-18h, nov.-mars mar.-dim. 10h-16h
Accès payant.

Dans l'ancien manège d'hiver ont été remisés quelques-uns des véhicules qui servaient au transport de la famille impériale. Du plus spectaculaire (le carrosse de Charles VI, décoré par des peintres de

'école de Rubens) au plus attendrissant (la mini-calèche pour deux enfants, 1865), c'est une incroyable débauche de bois doré auprès de laquelle n'importe quelle grosse cylindrée de luxe ressemblerait à un tacot.

❸ Palmenhaus★★
☎ 877 50 87 406
Mai-sept. t. l. j. 9h30-17h30, oct.-avr. t. l. j. 9h30-16h30.
Accès payant.

es Habsbourg, qui s'intéressaient aussi à la botanique, ont financé plusieurs expéditions à partir du XVIIIe s. pour rapporter fleurs et arbustes des quatre coins du monde. Aujourd'hui, pas moins de 4 000 plantes vivent dans cette serre à palmiers, dont la gracieuse *Aristolochia littoralis*

pourpre tachetée de blanc (section S3). Une vraie jungle au cœur de Vienne…

❹ Tiergarten★★
☎ 877 92 94 0
Avr.-sept. t. l. j. 9h-18h30, hors saison t. l. j. 9h-16h30 ou 17h30
Accès payant.
Quand ils étaient las des fleurs, les Habsbourg venaient observer les fauves depuis le pavillon octogonal – le Frühstückspavillon des Kaisers – qui se dresse au beau milieu de cette ménagerie où vous découvrirez, à côté des lions, zèbres et autres pensionnaires habituels, une « curiosité » plus typique : la ferme tyrolienne. Pour tout savoir sur la vie dans les alpages.

❺ Gloriette★★
☎ 811 13 239
D'avr. à sept., t. l. j. 9h-18h (jusqu'à 19h en été).

Le portique néoclassique qui trône sur la colline est un monument triomphal érigé

en souvenir d'une victoire remportée par les Habsbourg sur les armées de Frédéric II de Prusse (1757). Mais c'est aussi un café. On y sert d'exquises tartelettes « poire et mousse au chocolat » signées Gerti Hütter, du vin chaud en hiver, ainsi qu'un brunch le dimanche. Avec vue imprenable sur le parc.

❼ Hietzinger Bräu★★
Auhofstraße 1
☎ 877 70 87 0
T. l. j. 11h30-23h.

Juste en face du légendaire café Dommayer, le restaurant de la famille Plachutta fait partie des musts de la gastronomie viennoise. Les carnivores apprécieront particulièrement les *Schulterscherzl*, *Hüferschwanzel* et autres viandes de bœuf très tendres servies avec force soupes et tranches de moelle dans des marmites en cuivre et un cadre bourgeois fin XIXe s.

❻ WEIHNACHTSMARKT★★
Le marché de Noël, qui se tient chaque année dans la cour d'honneur du palais, est l'un des plus charmants et des plus authentiques de la capitale : c'est le moment ou jamais de faire le plein de bougies, de jouets en bois, de pains d'épice, de boules pour le sapin et de couronnes enrubannées de satin rouge.
Du 23 nov. au 26 déc., lun.-ven. 12h-20h, sam. et dim. 10h-20h ; veille de Noël 10h-16h.

Voir plan détachable
B2

Nos adresses de restaurants sont signalées sur la carte par le picto ➎. Pour plus de détails, voir p. 90-95.

Josefstadt,
une balade Biedermeier

De tous les arrondissements de Vienne, le huitième – Josefstadt – est le plus petit. Et l'un des plus prometteurs si l'on en juge à ses façades Biedermeier, ravalées avec soin, et aux boutiques coquettes qui commencent à fleurir çà et là autour des palais de la Lange Gasse et du théâtre de la Josefstädter Straße. Allez-y : c'est juste à l'ouest du Ring et peut-être le prochain quartier à la mode !

❶ Rathaus★★
Friedrich-Schmidt-Platz 1
☎ 525 50
Visites guidées lun., mer. et ven. à 13h.

Point de départ : l'hôtel de ville, dont la façade, un brin empesée, sert chaque année de toile de fond au marché de Noël (p. 30). Bâti par Friedrich von Schmidt, il illustre à merveille ce goût pour le style gothique qui a fait son come back à Vienne dans les années 1870. Pensez à jeter un œil sur la cour à arcades et la salle des fêtes !

❷ Lenaugasse★

Vous voici à l'orée du quartier de Josefstadt, dans une rue des plus attachantes, qui conserve un bel ensemble de maisons des XVIII et XIXe s.
Il y a là des frontons à volutes, des mascarons, des chérubins et, surtout, derrière les portails 3, 9, 11 et 19, des *Pawlatschenhöfe* – des cours à galerie ouverte, typiques de l'époque Biedermeier.

❸ Doll's★

Lange Gasse 62
☎ 405 95 31
Lun.-ven. 8h-19h,
sam. 8h-15h.

Vous êtes d'humeur champêtre ? Cela tombe bien : Doll's est un fleuriste hors pair qui compose des bouquets originaux et pimpants à partir de plantes importées tout droit d'Équateur, d'Italie et de Basse-Autriche. Et pour vous aider à vous mettre au vert ou à égayer votre balcon, il a également une jolie gamme d'accessoires.

❹ Österreichisches Museum für Volkskunde★★

Laudongasse 15-19
☎ 406 89 05
Mar.-dim. 10h-17h
Accès payant.

Étape suivante : l'ancien palais Schönborn. Converti depuis 1917 en musée des Arts et Traditions populaires, il déborde de souvenirs croquignolets des campagnes autrichiennes. À ne pas manquer : les *Blumenstalen* (ces jardinières en bois sculpté que le pâtre offrait à la bergère en gage d'amour), les chaises peintes par Urban Huemer et les *Strohpatschen*, grosses chaussures en paille, spécial grand froid (salle 2).

❺ Schönbornpark★

Lange Gasse.
On vous l'accorde : ce n'est pas le plus bucolique ni le plus luxuriant des parcs de la capitale. Mais ce petit square, aménagé en 1903 à l'emplacement des parterres de tulipes du comte Schönborn, a un atout majeur : la tranquillité. Il est vrai qu'ici, tout invite à la lecture ou à la rêverie : un bassin indolent, des bancs ombragés…

❻ Maria Treu★★★

Jodok-Fink-Platz.
Poussez la porte de cette église, peu connue mais adorable, que l'on appelle aussi « Piaristenkirche » ! Vous y retrouverez tout ce qui fait le charme du baroque et du rococo : un jeu de lignes convexes et concaves, une moisson d'autels en marbre rose et une coupole peinte à fresque par Maulbertsch représentant une Vierge flottant sur un aplat de ciel bleu. Bref : un petit chef-d'œuvre du XVIIIe s. viennois.

❼ SCHNATTL★★★

Ce nom ne vous dit peut-être rien, mais c'est celui de Wilhelm, qui a été l'un des pionniers de la nouvelle cuisine viennoise et qui continue de faire le bonheur des gourmets en leur concoctant une carte riche en émotions où pointent l'huile de potiron et l'inimitable vinaigre de M. Gegenbauer.

À tester : le faisan aux figues, l'oie aux coings et le jardin, bigrement agréable aux beaux jours. Menu dégustation : 30 €.

Lange Gasse 40,
☎ 405 34 00
Lun.-ven. 11h30-14h30
et 18h-23h.

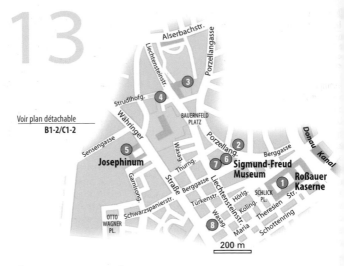

Alsergrund,
le fief des intellectuels

Avant-guerre, le 9e arrondissement de Vienne était l'épicentre de la raison et de la science. Véritable laboratoire de recherche, creuset de la psychanalyse, ce district où se croisent carabins et profs de droit passe aujourd'hui pour un quartier ennuyeux de bourgeois et de bureaucrates. Pourtant, entre l'Hôpital général et la caserne, Alsergrund vous réserve d'impressionnantes façades, un palais-jardin et quelques curiosités très révélatrices de l'« esprit viennois ».

magicien du camaïeu et de l'harmonie. Avec beaucoup de style, il emplit ses hauts vases de ces délicates attentions qui font toujours plaisir : suaves amaryllis, gomphoricarpus à la géométrie insolite ou dégradés de strelitzia dont les couleurs se marient à merveille avec l'anis des murs.

❶ Roßauer Kaserne★★

Schlickplatz.

Au lendemain des insurrections de 1848, Vienne se mit à construire dare-dare arsenaux et chambrées pour les troupes. Le tout en briques rouges et dans un style qui combinait étrangement le mauresque, le néoromantique et le look

« château de Windsor ». C'est le cas de cette drôle de caserne, œuvre conjointe d'un commandant et d'un colonel.

❷ Zweigstelle★★

Porzellangasse 4
☎ 315 66 98
Lun.-ven. 10h-19h,
sam. 10h-17h.

Ce fleuriste épatant et pas comme les autres est un

❺ Palais Liechtenstein★★

Fürstengasse 1
☎ 319 57 67 252
Ven.-lun. 10h-17h
Accès payant.

Le somptueux palais d'été, conçu vers 1700 dans un goût italien par Domenico Martinelli, prête ses salles, depuis 2004, aux collections des princes de Liechtenstein. Vous pourrez donc faire d'une pierre deux coups : admirer l'une des salles les plus baroques de Vienne – avec son plafond peint par Andrea Pozzo – et quelques-uns des fleurons de l'art européen. Concerts le dim. de 14h à 15h.

❹ Strudlhofstiege★

Liechtensteinstraße.

Ne manquez pas, au sortir du palais, de jeter un œil sur cet escalier qui constitue, avec ses balustrades et ses lampadaires, un bel exemple du Jugendstil viennois (1910). Il est très célèbre – en Autriche tout du moins – depuis qu'il a inspiré un long roman à l'écrivain Heimito von Doderer.

❸ Josephinum★★

Währinger Straße 25
☎ 4277 63401
Lun.-ven. 9h-15h,
1er sam. du mois 10h-14h
Accès payant.

Fondé par Joseph II en 1785, cet institut renferme une incroyable collection d'écorchés anatomiques en cire, grandeur nature, qui devaient permettre aux futurs médecins et chirurgiens de l'armée autrichienne de mieux pénétrer les mystères de nos nerfs et de nos entrailles. Il vaut mieux avoir le cœur bien accroché : c'est très réaliste...

❻ Sigmund-Freud-Museum★

Berggasse 19
☎ 319 15 96
T. l. j. 9h-17h, 18h en été
Accès payant
www.freud-museum.at

Aujourd'hui, tous les pèlerins de la psychanalyse se bousculent dans ce musée qui fut, pendant près de cinquante ans, l'appartement-cabinet du professeur Freud : il y recevait ses patients et y affûtait ses

théories sur l'interprétation des rêves. N'espérez pas trop pouvoir vous allonger sur le divan, il se trouve à Londres, où Freud parvint à se réfugier en 1938.

❼ Ragusa★★

Berggasse 15
☎ 317 15 77
Lun.-sam. 11h30-14h30,
18h-24h.

Vous rêvez de prendre le large ? Cela tombe bien : à bord de son restaurant de poissons et de fruits de mer, M. Stjepovic vous emmène en croisière le long des côtes dalmates. Ses assiettes de poulpes et de scampi fleurent bon l'Adriatique et le soleil de Dubrovnik. Vins croates et prix raisonnables.

❽ CAFÉ STEIN★★

Le décor, signé Eichinger et Knechtl, s'accorde sans accroc avec la clientèle, un mélange plutôt amusant de branchés et d'étudiants (la fac est à deux pas), qui profite de la terrasse (« sundeck ») pour observer, et des bons plats chauds servis à toute heure (risotto, curry d'agneau, gratins d'aubergines) pour réviser leurs cours avant de foncer en boîte.
Währinger Straße 6-8,
☎ 319 72 41
Lun.-sam. 7h-1h,
dim. 9h-1h.

14

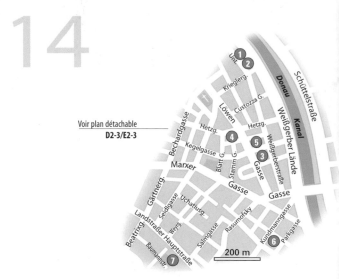

Voir plan détachable
D2-3/E2-3

200 m

Landstraße,
humour et fantaisie

Les palais empesés du Ring vous ennuient ? Faites un tour entre le
canal du Danube et la Landstraße Hauptstraße : c'est un quartier
éclectique, plaisant, où des édifices classiques voisinent avec des cubes
des années 1920 – la Haus Wittgenstein – et des habitations moins
guindées, coloriées par un disciple de Gaudí : le Viennois Friedensreich
Hundertwasser. Son « village » est aujourd'hui la quatrième attraction
de Vienne, après Schönbrunn et le Belvédère !

❶ Kunsthaus Wien★★
Untere Weißgerberstraße 13
☎ 712 04 91
T. l. j. 10h-19h.

Un premier patchwork
multicolore et pimpant,
signé Hundertwasser, dans
lequel sont exposées quelques
œuvres du maître, des photos,
des albums, mais aussi des
maquettes (dont celle de
l'église Sainte-Barbara à
Bärnbach). À l'intention des
groupies, le Museum Shop
a prévu tout un stock de

tee-shirts, foulards, cartes
postales, posters et calendrier

❷ Café
Im Kunsthaus★★★
Untere Weißgerberstraße
☎ 712 04 91
T. l. j. 10h-19h.

Profitez-en, ce café écolo-
rigolo, qui propose aussi des
salades et des consommés au
asperges, est un lieu unique
à Vienne, à mi-chemin
entre *Alice au pays des
merveilles* et *Le Livre de la*

ngle. Le sol est irrégulier c'est peu dire – et la gétation luxuriante. Seul tre petit noir ne porte pas la gnature de Hundertwasser.

❸ Hundertwasser-Haus★★★

Kegelgasse 36-38.

L'immeuble bâti par Peter Pelikan (1985) d'après les plans de Hundertwasser semble lancer un défi à l'équilibre. Pourtant, si rien n'y est standard, tout est très pensé : il y a huit modules de fenêtres, un code couleur bien précis selon les appartements. Il est permis de gribouiller sur les murs, et le loyer n'est que de 5 € le m². Au fond, les 200 locataires ne se plaignent que du flot de touristes.

❹ Fälschermuseum★

Löwengasse 28
☎ 715 22 96
Mar.-dim. 10h-17h
Accès payant.

Nous vous avions prévenu : il y a, dans ce quartier, des lieux tout à fait déroutants (mais instructifs) comme ce petit

musée des faussaires qu'ont ouvert en 2005 Diane Grobe et Christian Rastner. En 60 tableaux, il vous dira tout des jeux subtils entre la copie authentique, le presque vrai et le faux absolu. Et vous pourrez même y passer commande de votre propre portrait... petit « à la manière de ». Original !

❺ Mozartcorner★

Kegelgasse 37-39
☎ 715 10 11
T. l. j. 9h-19h.

Les wolfgangophiles – toujours eux – n'ont qu'à bien se tenir : il y a dans cette mini-boutique des compacts, bien sûr, mais aussi des carnets de notes, des cravates mouchetées de doubles-croches, des tee-shirts à l'effigie de Salieri, des sweats et des brassières pour nourrissons avec le logo Mozart et la mention « A star is born », sans oublier les succulents chocolats de Mozart (*Mozartkugeln*) dans leur inimitable emballage rouge et or.

❻ Haus Wittgenstein★★

Parkgasse 18
☎ 713 31 64
Lun.-ven. 10h-12h et 15h-16h30
(sur r.-v. en juil.-août)
Accès payant.

Cette maison-ci, vous l'aurez deviné, ne doit rien à l'imaginaire bariolé de Hundertwasser ! L'actuel Institut culturel bulgare a été édifié (1929) par un élève d'Adolf Loos d'après les plans de... Ludwig Wittgenstein, l'un des phares de la pensée du XXe s. On dit que la rigueur des lignes, le choix des matériaux et la précision des détails reflètent bien sa philosophie. L'intérieur, en tout cas, impressionne par son extrême sobriété.

❼ BIEDERMEIER IM SÜNNHOF★★★

Vous êtes déjà en repérage pour votre prochain séjour à Vienne ? Voici un charmant hôtel situé dans un étroit passage classé monument historique : le Sünnhof. Vous pourrez vous y faire déposer en fiacre. Tout y est Biedermeier : la cuisine, le café, le mobilier en merisier et la déco, vieux rose et vert tilleul. 178 € la double en haute saison.
Landstraßer Hauptstraße 28, ☎ 716 710, ❻ 716 71 503.

15

Voir plan détachable
C1-2/D1-2/E1-2

Sur les berges
du Danube

On devrait dire « des » Danube, car à Vienne, le fleuve mythique de l'Europe centrale se divise en quatre bras : le Vieux, le Nouveau, le Canal et le Danube tout court. Entre ces bras, des îles aménagées en parcs où l'on peut s'adonner aux joies du jogging et de la baignade – à elle seule la Donauinsel compte 42 kilomètres de plage – tout en contemplant la skyline de la « nouvelle Vienne » et de son dernier né, la Millenium Tower, un gratte-ciel de 202 m de haut.

❶ DDSG★★

Schwedenbrücke
M° Schwedenplatz (U1)
☎ 588 80 0
www.ddsg-blue-danube.at
D'avril à octobre, la Compagnie de navigation sur le Danube organise des circuits en bateau, au départ du Donaukanal, pour découvrir au fil de l'eau les écluses (1898) de l'architecte Otto Wagner, la centrale de Spittelau, décorée par Hundertwasser, et le complexe de l'UNO City. Comptez environ 16,80 € par personne.

❷ Prater★★

M° Praterstern (U1)
Attractions : t. l. j. 10h-1h
(jusqu'à 20h en hiver)
Voir incontournable p. 83.

Un week-end ne suffirait pas à explorer les 7 km² de cette ancienne réserve de chasse impériale qui est devenue

depuis qu'elle est ouverte
au bon peuple (1766) –
la promenade favorite
des Viennois. Au choix :
bosquets, plans d'eau, pavillon
de plaisance, guinguettes
et luna-park pour amateurs
d'attractions toniques, avec
train fantôme, montagnes
russes et *Riesenrad* (grande
roue). En sus : beignets et
barbes à papa.

3 Augarten★

Le parc de l'Augarten est
un petit coin de verdure, où
l'on vient pique-niquer en
famille, jouer aux boules,
promener son chien et admirer
les collections de la célèbre
manufacture de porcelaine
Porzellanmanufaktur,
☎ 21 12 411) qui s'est
installée dans l'orangerie.
La visite guidée de 10h

(lun.-ven.) vous permettra
de suivre les étapes de la
production et les différentes
techniques de glaçure.
Du grand art.

4 UNO City★

Wagramer Straße 5
M° Kaisermühlen (U1)
☎ 260 60 33 28
Visites lun.-ven.
à 11h et 14h.

En 1979, quatre tours de
bureaux ont poussé sur la rive
pour héberger divers services
des Nations unies. Ce complexe
– le plus important après New
York et Genève – bénéficie
d'un statut particulier. Pour
le visiter, vous devrez donc
présenter votre carte d'identité.
Mais vous pouvez aussi vous

contenter d'admirer les reflets
du coucher du soleil sur les
24 000 fenêtres de ses façades.

5 Donauturm★

Donausturmstraße 4
☎ 263 35 72
T. l. j. 10h-23h30
Accès payant.

En moins de temps qu'il n'en
faut pour le dire (35 secondes),
un ascenseur express
vous conduit à la terrasse
panoramique de cette tour qui
domine du haut de ses 252 m
le Donaupark, deuxième espace
vert de Vienne après le Prater.
Juste au-dessus, deux restaurants
tournent – plus lentement –
pour faire défiler sous vos yeux
la cathédrale, la grande route et
les contreforts de la Slovaquie.

6 Gänsehäufel★★

Moissigasse 21
M° Kaisermühlen (U1)
et bus 90A.

Si vous faites partie de cette
catégorie d'agités qui ne
conçoit pas le week-end sans
culture physique, un détour
s'impose dans cette petite île
du Vieux Danube devenue le
paradis des *Multiaktivisten* :
tennis, volley, canotage, voile,
sans oublier la gigantesque
Strandbad (« plage »), dont
les installations passent pour
l'un des meilleurs exemples de
l'architecture d'après-guerre.

7 BADESCHIFF★★

Juste à côté de
l'hydroglisseur qui rallie
Bratislava en 75 min, vous
trouverez, amarré au quai,
un ex-cargo où l'on peut
faire d'une pierre trois
coups : clubber, barboter
et grignoter. Eh oui ! On ne
dirait pas à le voir comme
ça, mais le Badeschiff est un
resto-boîte de nuit-piscine
en plein air avec transats,
parasols, toit ouvrant et
super DJ, qui propose même le w.-e. des brunchs sur
plateau-télé à 8 €. À vos maillots !
Au pied du Schwedenbrücke, M° Schwedenplatz
☎ 513 07 44 ; mai-sept. 11h-0h.

Belvédère

Après avoir mené contre les Ottomans de brillantes batailles qui lui valurent prestige et fortune, le prince Eugène de Savoie, chef de l'armée impériale, eut tout loisir de se consacrer à un projet moins… militaire : la construction de son double palais – un bel ensemble baroque aujourd'hui dédié à l'art autrichien.

L'art médiéval

Si vous êtes sensible au genre « primitif religieux », attardez-vous dans les anciennes écuries et dans l'aile droite du Belvédère supérieur : elles offrent un excellent aperçu de la période gothique. Statues polychromes et panneaux à fond d'or, exécutés par le Salzbourgeois Conrad Laib ou le Tyrolien Michael Pacher, y côtoient des retables très expressifs, tel le triptyque de Znaim (1427) qui évoque la Passion du Christ.

L'art baroque

Si vous préférez les trompe-l'œil et les martyrs en extase, optez pour l'aile gauche du Belvédère supérieur : il y a là des nuées d'anges évanescents et des scènes allégoriques – signées Gran, Maulbertsch, Rottmayr ou Troger – qui illustrent à merveille l'esthétique du XVIIIe s. Mais ici, l'artiste le plus singulier reste Franz Xaver Messerschmidt (1736-1783). Ce sculpteur d'origine souabe s'est livré à toutes sortes de grimaces devant son miroir pour exécuter une série de 69 « têtes de caractère » suggérant différents états d'âme : la mélancolie, l'hypocrisie…

De 1770 à 1920

Ce n'est pas parce qu'elles font un peu « doublon » avec le musée Leopold (p. 74) qu'il faut bouder les collections du premier étage : elles recèlent, à côté de superbes tableaux de Klimt, Schiele, Kokoschka… d'adorables paysages italianisants et une vue lumineuse du Naschmarkt peinte par Carl Moll en 1894.

COORDONNÉES

Belvédère (voir p. 61)
Prinz-Eugen-Strasse 27
ou Rennweg 6a
Tram 71 ou D
☎ 795 57 134
T. l. j. 10h-18h
Accès payant.

Museum
für angewandte Kunst

Référence incontournable dans le domaine des arts appliqués, le « MAK » est l'un des musées les plus enthousiasmants de Vienne. Il réunit, dans un bâtiment de briques rouges et selon une très habile mise en scène, un choix d'objets qui marquent la vie des Autrichiens depuis plusieurs générations : céramique, verres…

(voir p. 117) proposait à la vente 1 400 modèles de meubles, dont le *canapé n° 4*, le *rocking-chair* et le *siège n° 25*, que l'on voit ici, à côté des chaises d'Adolf Loos pour le café Museum et de Josef Hoffmann pour le sanatorium de Purkersdorf.

Le cabinet Dubsky

Votre coup de cœur n° 1 ? La reconstitution, au milieu de la salle 2, de l'un des premiers cabinets de porcelaine européenne. Cette exquise pièce qui se trouvait autrefois au palais Dubsky de Brno (Moravie) fut entièrement décorée, vers 1724, par la comtesse Maria Antonia von Czobor, née Liechtenstein, de boiseries marquetées et de porcelaines viennoises : elles portent en effet l'estampille de la manufacture Du Paquier (voir p. 19).

Les chaises Thonet

Par un bel effet de « lanterne magique », de longs vélums blancs mettent en valeur la ligne élastique et raffinée des créations de Michael Thonet, menuisier de génie qui obtint de l'empereur le privilège de courber le hêtre à la vapeur. Son succès fut tel qu'en 1915, la firme Thonet

Ateliers viennois

Une salle du musée (la n° 16 au 1er étage) est entièrement consacrée à la production si soignée des Wiener Werkstätte, les fameux Ateliers viennois (p. 13). Profitez-en pour jeter un œil sur le délicat service à thé en argent et corail de Hoffmann, les pendentifs de Moser et le livre de Brod relié d'un maroquin à fleurs stylisées.

COORDONNÉES

Museum für angewandte Kunst (voir p. 50)
Stubenring 5
M° Stubentor
☎ 711 36 0
Mar. 10h-minuit, mer.-dim. 10h-18h
Accès payant.

MuseumsQuartier

Vous ne pouvez pas le rater : conçu par les architectes Laurids et Manfred Ortner à la charnière entre la vieille ville et le quartier de Spittelberg, le « MQ » est une oasis de culture, un complexe dynamique et éminemment stimulant, ouvert à la danse, à la jeune création, à la scène électronique et à l'art contemporain.

Leopold Museum

Commencez par le gros cube en calcaire blanc : c'est l'une des institutions majeures du MuseumsQuartier. Y sont réparties, sur cinq niveaux, les 5 266 œuvres – valeur totale estimée à 575 millions d'euros ! – que le Dr Rudolf Leopold et sa femme Elisabeth ont collectionnées avec infiniment de flair pendant cinquante ans. Comme ils ont une nette prédilection pour l'art autrichien de la première moitié du XXe s., vous y verrez surtout des dessins d'Alfred Kubin (2e sous-sol), des peintures de Gustav Klimt (rez-de-chaussée), Albin Egger-Lienz (2e étage), Anton Kolig et, *last but not least*, un choix exceptionnel de tableaux, fiévreux et pour ainsi dire « hantés », d'Egon Schiele (3e étage).

Le Mumok

De l'autre côté de la place s'élève un autre cube qui aurait pu être le frère jumeau du Leopold, s'il n'était revêtu d'un basalte gris anthracite. Il s'agit du musée d'Art moderne/fondation Ludwig, alias « Mumok », qui s'est distingué, sous l'impulsion de son précédent conservateur, Lóránd Hegyi, par ses expositions autour de l'art contemporain en Europe centrale. Aujourd'hui, le Mumok s'attache plutôt à présenter par roulement, suivant un cycle annuel intitulé « Fokus », les collections de la maison : pop art, fluxus, arte povera, land art, etc. À ne pas manquer : la vue panoramique sur Vienne depuis la grande baie du niveau 8.

L'AzW

Derrière ces trois lettres se cache une salle d'expos temporaires dédiée à l'architecture du XXe s. et du futur, où l'on découvrira, à travers maquettes et photos, que Vienne élabore plein de stratégies nouvelles pour créer un urbanisme intelligent, respectueux de l'écologie. Pour preuve : les prochains logements de Hütteldorf am

Mauerbach. En sus : une
bibliothèque spécialisée et,
chaque dimanche, des balades
architecturales dans Vienne.

Kunsthalle

Aménagée dans l'ancien
manège d'hiver, la « halle
d'Art » est un espace
fonctionnel, très épuré, qui
privilégie la vidéo, la photo,
les médias contemporains
et les installations. L'intérêt
de l'expo dépend beaucoup
du plasticien. Parmi les
rétrospectives phares de
ces derniers mois, citons
Matthew Barney, Louise
Bourgeois, Shirin Neshat et
surtout le « Wiener Gruppe »

qui constitue, avec ses
happenings et ses cabarets,
l'une des contributions les plus
importantes de l'Autriche à
l'art international après 1945.

Cafés & boutiques

En ce domaine aussi, vous
n'aurez que l'embarras du
choix : salades d'asperges
et pâtes au noir de seiche
servies sur fond de rythmes
cubains dans le cadre
branché du restaurant Die
Halle ; cocktails et plats
végétariens à la terrasse
du Mumok ou café viennois
au Leopold avec projections
de films expérimentaux.
Notre favori reste l'Una, le

bistrot de l'AzW qu'Anne
Lacaton et Jean-Philippe
Vassal ont eu la bonne idée
d'habiller de carreaux turcs.
Côté shopping, il y a bien
sûr le petit Lomoshop, qui
cache sous l'escalier du
Mumok ses gadgets rigolos,
et le Cheap Records, où
l'on trouve les CD du label
« Pulsinger & Tunakan ».
Mais on peut leur préférer
la librairie Prachner (voir
p. 123), qui aligne ses albums
photos et archi dans l'ovale
baroque du hall d'entrée.

COORDONNÉES

Museumsplatz 1-5
☎ 523 58 81 1730
M° MuseumsQuartier
(voir p. 54)
Leopold Museum :
T. l. j. 10h-18h (21h le jeu.)
Mumok :
Mar.-dim. 10h-18h
(21h le jeu.)
AzW :
T. l. j. 10h-19h
(21h le mer.)
Kunsthalle :
T. l. j. 10h-19h
(22h le jeu.)
Accès payant.

Stephansdom

La cathédrale Saint-Étienne dont la tour sud, haute de 137 mètres, veille sur la vieille ville depuis 1433, conserve un très grand nombre de décors gothiques et baroques, bien qu'elle ait été détruite à 45 % à la fin de la Seconde Guerre mondiale.

Les toitures

Sachant qu'elles sont habillées de 230 000 tuiles vernissées et que chaque tuile pèse 2,5 kg, on vous laisse calculer le poids du toit de la cathédrale ! L'ensemble compose un motif en zigzag entrecoupé d'une rangée de losanges, qui rappelle un peu les tapis d'Orient. Sur la face sud figurent la date, 1831, les armes de l'Empire autrichien et le monogramme de François Ier (FI).

Le maître-autel

Au fond de la nef centrale trône, tel un portail monumental, le premier de tous les autels baroques de Vienne (1647). Il est constitué d'un socle en marbre noir de Pologne, de pilastres en marbre gris de Styrie, d'ornements en marbre blanc du Tyrol et d'un beau retable en étain représentant la lapidation de saint Étienne sous les murs de Jérusalem. Le peintre (Tobias Pock) apparaît sur la partie gauche du tableau, sous les traits d'un jeune homme accompagné d'un chien.

La chaire

C'est du haut de cette fameuse chaire en grès (3e pilier gauche) que, le 7 octobre 1938, l'archevêque de Vienne – le cardinal Innitzer qui, quelques mois plus tôt, avait fait allégeance au nouveau régime en le saluant d'un « Heil Hitler » – prononça un sermon pour rappeler aux Viennois qu'au fond, ils n'avaient « qu'un seul Führer : Jésus-Christ ». Il semble que les Jeunesses hitlériennes aient été irritées par le sermon : elles ne tardèrent pas à prendre d'assaut son palais, au n° 6 de la Stephansplatz.

COORDONNÉES

Stephansdom
(voir p. 42)
M° Stephansplatz
☎ 515 52 30
Ouv. lun.-sam. 6h-22h,
dim. 7h-22h
Ascenseur de la tour
nord : 9h-17h30
Messes : le dim. à 7h30,
9h, 10h15, 12h, 17h, 18h,
19h et 21h.

Schönbrunn

Marie-Thérèse était très attachée à ce château de plaisance. C'est elle qui chargea l'architecte Pacassi de le remanier dans le goût rococo et de... l'agrandir. Il est vrai qu'il fallait y loger mille personnes : les enfants, les domestiques et les membres de la famille impériale, chaque couple ayant droit à dix chambres !

La grande galerie

Avec ses 1 104 ampoules qui scintillent sur fond de miroirs et de stucs dorés, cette galerie de 40 m de long est de loin la plus flamboyante de toutes les salles d'apparat (*Prunkräume*). Destinée aux bals et aux réceptions, elle servait aussi de hall d'attente : le visiteur qui sollicitait une audience, y patientait, des heures durant, sous le regard de François Ier et de Marie-Thérèse planant à 10 m de hauteur sur la

fresque centrale, au milieu des nuages et des allégories des pays de la Couronne.

Les salles Bergl

Changement de décor ! Au rez-de-chaussée du palais, murs et plafonds sont peuplés de fleurs, d'oiseaux et de fruits merveilleux, peints avec fraîcheur et beaucoup de brio par Johann Bergl vers 1770. On dit qu'en été, lorsqu'il faisait trop chaud à l'étage, Marie-Thérèse descendait se réfugier dans cet univers exotico-tropical, peut-être inspiré par les

planches que le botaniste Nikolaus Joseph von Jacquin venait tout juste de rapporter de ses expéditions en Inde et en Amérique du Sud...

Le parc

Prenez le temps d'arpenter ses allées diagonales ! Elles sont truffées de surprises : ici, un labyrinthe de 2 700 m², là des ruines « romaines » qui ont tout juste 200 ans. Et partout, dissimulées sous les charmilles, des statues en marbre des dieux et héros de l'Antiquité : Apollon, Mercure, Jason et la toison d'or...

COORDONNÉES

Schönbrunner Schloßstrasse
M° Schönbrunn ou Hietzing (U4)
(voir p. 62-63)
☎ 811 13 239
Salles d'apparat : t. l. j. 8h30-17h (jusqu'à 18 h en juil.-août) ; 9,50 € le tour de 35min, 12,90 € le tour de 50min.
Labyrinthe : d'avril à oct., 9h-18h (accès payant)
www.schoenbrunn.at

Haus der Musik

Le palais de l'archiduc Charles de Habsbourg, où vécut longtemps Otto Nicolai, fondateur en 1842 du Philharmonique de Vienne, cache aujourd'hui, derrière sa façade pralinée, une Maison de la musique. Ce bel espace, qui draine des légions de jeunes mélomanes prêts pour un grand voyage dans le monde merveilleux du son, a reçu le prix national des Musées en 2002.

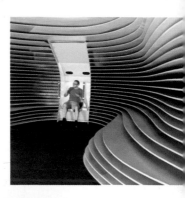

La sonosphère

Dès le 2e étage, un labyrinthe vous invite à explorer la diversité des bruits du cosmos, des plus banals – le sifflement d'une balle de ping-pong, un raclement de gorge, la clameur du métro… – aux plus inattendus, comme le ronron de la mer sur l'île de Pâques, le gazouillis d'un village d'Anatolie ou encore celui de la première expérience auditive : le murmure prénatal.

Les grands maîtres

C'est au 3e étage que vous saurez tout sur les compositeurs – Haydn, Schubert, Strauss, Mahler, Schönberg… – qui ont fait de Vienne la capitale européenne de la musique. Y sont exposés quelques-uns de leurs instruments, mais aussi des partitions, des lettres et des photographies. À ne pas manquer : les décors conçus en 1816 par le Berlinois Karl-Friedrich Schinkel pour *La Flûte enchantée*

de Mozart et le plan de Vienne qui recense les différents appartements de Beethoven (il a déménagé 68 fois !).

Le Brain Opera

Inventé par Tod Machover, professeur de composition à l'institut de Technologie du Massachusetts, le Brain Opera (« Opéra mental », 4e étage) est une sorte de laboratoire bourré de micros, d'écouteurs, de magnétos et de percussions, qui permet à chacun d'enregistrer sa voix, de créer sa musique et de la mixer avec les fantaisies acoustiques des autres visiteurs. C'est… récréatif !

COORDONNÉES

Haus der Musik
(voir p. 47)
Seilerstätte 30
M° Karlsplatz (U1, 2, 4)
☎ 516 48 51
T. l. j. 10h-22h
Accès payant
www.hdm.at

Demel

Derrière la façade baroque de l'ancien palais Bucquoy, la plus célèbre pâtisserie d'Autriche n'est pas seulement un temple de la gourmandise. C'est aussi un véritable monument historique. Un petit musée, aménagé au sous-sol, retrace d'ailleurs la saga de cette enseigne mythique et de ses principaux acteurs.

Le Marzipan Museum

réunit toutes sortes d'objets · des figurines en massepain et en sucre candi, de vieux moules à *Guglhupf* à langues-de-chat, des croquis de généreux gâteaux – d'augustes livres de comptes sur lesquels étaient soigneusement consignés les titres des clients, et bien d'autres souvenirs encore, liés à Christoph Demel, qui ouvrit la pâtisserie sur le Kohlmarkt en 1857...

La pâtisserie

... ou à l'aristocrate d'origine italo-hongroise Federico Terzeviczy-Pallavicini (décédé en 1989), époux de Klára Demel, qui sut rendre aux salons leur décor d'origine. À l'entrée, le comptoir en acajou et bronze séduit autant par la diversité des tartes qui s'y amoncellent – on en confectionne 230 chaque jour – que par le style des *Demelinerinnen*, les serveuses qui s'y affairent : habillées de noir depuis la mort de l'impératrice Élisabeth, elles s'adressent toujours aux clients à la troisième personne.

Les étages

Du jardin d'hiver, un escalier permet d'accéder à la superbe cuisine ainsi qu'aux salons de réception qui étaient déjà affectés, du temps de la monarchie, à des bals, des cocktails et des fêtes privées. Ils sont ornés, comme il se doit, de lustres en cristal de Lobmeyr ou en verre de Murano, de plafonds à caissons et de poêles en faïence (chambre d'Anna Demel au 2e étage).

COORDONNÉES

Demel
(voir p. 45)
Kohlmarkt 14
M° Herrengasse
☎ 535 17 17
T. l. j. 10h-19h
Réouverture prévue automne 2007.
www.demel.at

Hofmobiliendepot

Autrefois, les palais impériaux et châteaux de plaisance où les Habsbourg avaient coutume de résider en fonction des saisons n'avaient pas de mobilier fixe. Il leur fallait donc déménager à chaque fois les objets dont ils avaient besoin. Jusqu'au jour où Marie-Thérèse (1747) eut l'idée de créer un dépôt central et de nommer à sa tête un inspecteur, responsable de leur transport...

Dépôt et atelier

... de leur inventaire, mais aussi de leur entretien. De fait, à côté du dépôt proprement dit (Begehbares Depot, salle 17), qui regorge de meubles de tous styles et de toutes catégories, un atelier (salle 15) initie le visiteur aux différentes techniques du tapissier, du marqueteur et du doreur à la feuille.

Biedermeierkojen

Entre les deux, la salle 16 forme une suite de quinze alcôves aménagées en 1924 selon un goût qui s'est forgé dans les années 1815-1848 et qui a longtemps imprégné la culture viennoise : le Biedermeier. L'ensemble constitue un véritable catalogue de l'art de vivre bourgeois à l'intention des décorateurs et de leurs clients. Rien n'y manque : la chambre de jeune fille, le salon avec son sapin de Noël, ses « îlots d'activité » (p. 33) et son papier peint fleuri. Pour un peu, on se croirait dans un appartement témoin

Laxenburger zimmer

La salle 7 réunit quelques objets provenant de Franzensburg – un château situé à 17 km au sud de Vienne, sur le domaine de Laxenburg, que l'empereur François Ier avait fait décorer de plafonds à caissons Renaissance et où la Cour séjournait souvent durant l'été. Certaines de ces « antiquités » sont fort séduisantes : le cabinet en poirier noir ébène (1600), les consoles italiennes au plateau marqueté d'agate, de jaspe et de marbre...

COORDONNÉES

Kaiserliches Hofmobiliendepot (voir p. 57)
Andreasgasse 7
M° Zieglergasse
☎ 524 33 570
Mar.-dim. 10h-18h
Accès payant. www.hofmobiliendepot.at

Kunsthistorisches Museum

Pour faire court, on l'appelle « Kunst » ou « KHM », mais ce palais monumental, édifié sous le règne de François-Joseph (1891), est l'un des plus riches musées d'Europe. Ses 250 000 œuvres d'art reflètent à merveille le goût des amateurs avisés qui les ont collectionnées au fil des siècles : les Habsbourg.

École italienne

Dans les salles I-VII du 1er étage sont réunis quelques-uns des chefs-d'œuvre de Titien, Véronèse, Giorgione et du Tintoret – quatre ténors de la Renaissance vénitienne pour lesquels l'archiduc Léopold-Guillaume (1614-1662) avait un faible – mais aussi une superbe série, plus tardive, de seize vues de Vienne, exécutées par un neveu très doué de Canaletto : Bernardo Bellotto (1721-1780).

Flamands et hollandais

Autre collection séduisante : celle des tableaux flamands et hollandais exposés dans les salles IX-XV du 1er étage. Il y a là des Rubens, des Rembrandt, un remarquable Vermeer (*Le Peintre dans son atelier*, de 1666) et pas moins de quatorze œuvres de Bruegel l'Ancien, dont la fameuse *Tour de Babel* (1563) qui faisait partie des collections de l'empereur Rodolphe II et qui est un peu au KHM ce que la *Joconde* est au Louvre.

Objets d'art

Ne boudez pas l'entresol : il déborde d'objets plus bizarres les uns que les autres, comme la crédence à fossiles de dents de requin, la coupe en corne de rhinocéros ou encore la salière en or que le roi Charles IX de France offrit à l'archiduc Ferdinand II de Tyrol en 1570 – une pièce d'orfèvrerie totalement inutilisable mais d'une grande valeur artistique qui associe, sur un socle en ébène orné d'hippocampes, le dieu de la Mer (= le sel) et la déesse de la Terre (= le poivre).

COORDONNÉES

Kunsthistorisches Museum
(voir p. 53)
Maria-Theresien-Platz
Mᵉ MuseumsQuartier
(U2)
☎ 525 24 0
Mar.-dim. 10h-18h
(jeu. jusqu'à 21h)
Accès payant
www.khm.at

Hofburg

On a peine à imaginer qu'à l'origine, le palais impérial n'était qu'un modeste fortin entouré de douves. Il est vrai que depuis sa fondation par Ottokar II en 1275, il s'est beaucoup étoffé au fil des siècles, pour abriter aujourd'hui la présidence de la République, la Bibliothèque nationale, le Manège espagnol et de très riches collections.

Rüstkammer

Aujourd'hui exposée dans l'aile du palais que l'on appelle « Neue Burg » (voir p. 53), la collection d'armes et d'armures des premiers empereurs d'Autriche réunit des centaines de cottes de mailles, hallebardes et cuirasses, dont certaines sont un peu intimidantes. C'est le cas du casque à visière de l'archiduc Ferdinand Ier de Tyrol, en forme de… museau de renard (1526).

Schatzkammer

C'est, avec celui des appartements impériaux (voir p. 35), le musée le plus visité de la Hofburg. Y sont conservés, entre autres trésors, les insignes et joyaux de l'Empire : les manteaux de soie rouge, les sceptres d'argent et toutes sortes de couronnes plus précieuses les unes que les autres, comme celle de Rodolphe II, sertie d'un gros saphir (salle 2), ou celle d'Otton le Grand, tout en plaques d'or (salle 11), qui date de 962.

Silberkammer

La collection des porcelaines et de l'argenterie de la Cour devrait séduire tou(te)s les accros de l'art de la table façon « grand monde ». Il y a là des pièces triées sur le volet provenant de manufactures célèbres (Sèvres, Meissen, Augarten…), un impressionnant service en vermeil prévu pour 140 convives et un service en argent spécialement exécuté par la firme Arthur Krupp en 1893 pour les voyages en mer de l'impératrice Sissi.

COORDONNÉES

Michaelerplatz 1
M° Herrengasse,
Stephansplatz ou
Volkstheater
(voir p. 52-53)
Schatzkammer :
mer.-lun. 10h-18h
Silberkammer :
t. l. j. 9h-17h
Rüstkammer :
mer.-lun. 10h-18h
Accès payant.

Prater

On vous l'accorde :
le Prater a beaucoup
perdu de son ambiance
et de son pittoresque
d'antan depuis que les
autotamponneuses
ont remplacé les
traditionnels jeux de
quilles. Mais la vue
du haut de la grande
roue est toujours aussi
spectaculaire et le parc
offre encore un généreux
concentré de verdure
aux fans de plein air.

La grande roue

Érigée en huit mois par
l'ingénieur britannique Walter
B. Basset (1897), la Riesenrad
est la dernière survivante de
toutes les grandes roues du
XIXe s. Comme elle mesure
64 m de hauteur et tourne
sans hâte (0,75 m/s ; le tour
complet dure 20 min), vous
aurez tout loisir d'apprécier le
paysage alentour.

Le Pratermuseum

À côté du planétarium, un
petit musée retrace l'histoire
du parc, de ses dynasties de
forains et des attractions qui
faisaient fureur naguère :
le fakir et la femme à barbe,
l'homme-tronc et l'avaleur de
sabre, les feux d'artifice et les
trains fantômes. Le spectacle
le plus sensationnel, conçu
par Gabor Steiner (1895),
avait pour thème « Venise

à Vienne ». C'était une
reconstitution – assez kitsch,
au demeurant – de la cité des
Doges avec de vrais gondoliers
voguant sur un faux canal
de 1 km de long…

Le « Prater vert »

Les stands de la fête foraine
n'occupent que 10 % de la
superficie totale du parc : bois,
prairies, étangs et équipements
sportifs se partagent le
territoire restant que vous
pourrez sillonner en petit
train (Liliputbahn, terminus
derrière la grande roue) ou
à pied, en empruntant la

Hauptallee qui traverse le
Prater de part en part et qui
était très prisée, vers 1900,
de la gentry : il était de fort
bon ton, en effet, de défiler en
calèche sous les marronniers.

COORDONNÉES

Prater
(voir p. 70)
M° Praterstern
☎ 726 76 83 (musée)
Grande roue : t. l. j.
10h-20h (en été 9h-24h)
Musée : mar.-jeu.
10h-13h, ven.-dim.
14h-18h
Accès libre au parc.

Séjourner **mode d'emploi**

Hôtels

Il existe en Autriche cinq catégories d'hôtels et quatre catégories de pensions que l'on distingue traditionnellement par des étoiles. Dans le 1er arr. de Vienne, on dénombre une trentaine d'hôtels « de luxe » (5 étoiles) et « de premier ordre » (4 étoiles, comme le Herrenhof qui ouvrira fin 2008), mais les hôtels 3 étoiles se comptent sur les doigts d'une main. C'est plutôt dans les arrondissements périphériques que vous trouverez des établissements de catégorie intermédiaire (un hôtel « budget » mais design vient d'être inauguré dans le 11e, près de la station de métro Gasometer : le Roomz, Paragonstrasse 1, www.roomz-vienna.com). Comme le cadre est un peu ingrat, il est préférable, à prix égal, de se loger dans une petite pension 4 étoiles du centre-ville.

Souvent aménagées dans des immeubles de bureaux ou d'appartements privés, ces pensions sont accueillantes et d'une propreté irréprochable. Ne soyez pas surpris par la déco de certains établissements : l'hôtellerie viennoise joue encore, parfois, la carte de la nostalgie Empire avec un mobilier un peu vieillot, des tentures empesées et un papier peint limite kitsch. Le petit déjeuner, en revanche, est réjouissant (la formule « buffet à volonté » inclut charcuteries, muesli, fruits frais, fromage blanc au concombre ou au paprika, petits pains) et généralement compris dans le prix annoncé.

Prix

Il existe grosso modo deux saisons : la *Sommersaison*, du 1er avr. au 31 oct., et la *Wintersaison* du 1er nov. au 31 mars. Les hôteliers pratiquent des prix moins élevés en hiver (à l'exception de la période des fêtes de fin d'année, pour laquelle ils appliquent le tarif « été »). Si vous avez décidé de casser votre tirelire et de vous offrir l'un des palaces du Ring, sachez qu'il existe des forfaits week-end. Cela vaut aussi pour certains hôtels 4 étoiles. Mais soyons juste : même après ces menues réductions, l'hébergement au centre-ville reste assez cher : il faut compter de 145 à 220 € par nuit pour une chambre double dans un hôtel 4 étoiles, et entre 100 et 160 € pour une chambre double en pension 4 étoiles. Petite précision : en Autriche, on ne dort pas entre des draps, mais sous une couette, et les grands lits « à la française » sont plutôt rares (il s'agit, dans le meilleur des cas, de lits jumeaux accolés).

Réservation

ienne est une destination
à la mode : durant les fêtes
de fin d'année, la saison
des bals et l'Euro 2008, il sera
très difficile de trouver
une chambre au centre-ville.
Aussi est-il fortement
recommandé de réserver
votre hôtel. Vous pouvez
prendre directement contact
avec l'établissement
de votre choix. Vous pouvez
aussi vous adresser au
Wien Hotels,
le bureau de réservations de
l'office de tourisme de Vienne,
☎ 00 431 24 555
📠 00 431 24 555 666,
ouv. t. l. j. de 9h à 19h (fermé
les dim. de nov. à mars),
qui édite une liste complète,
*Hotel Guide Pensions &
partments*, dont les tarifs
sont actualisés sur Internet
(www.vienne-autriche.info).
Si vous ne parlez ni l'allemand
ni l'anglais, vous avez peut-
être intérêt à passer par les
services de l'association
d'hôteliers francophones
Autriche pro France
☎ 0 825 062 063, www.
autriche.com).

Restaurants

Vienne connaît aujourd'hui
un véritable « boom » de la
restauration. Jusque dans les
années 1970, le paysage était,
avouons-le, passablement
ennuyeux. Aujourd'hui,
les menus se sont
diversifiés, la qualité
du service s'est
très nettement
améliorée et
on trouve
désormais
en ville, outre
les spécialités

traditionnelles de l'Empire
et les recettes des autres
provinces autrichiennes,
un véritable kaléidoscope
d'effluves et de saveurs :
balkan grills, pizzérias,
restaus créoles et indonésiens,
self services du type
Rosenberger (Maysedergasse 2,
ouv. t. l. j. 7h30-23h),
fast-foods des galeries
marchandes (comme Akakiko
pour les sushis ou Nordsee
pour le poisson), sans
oublier une nouvelle gamme
d'établissements terriblement
design, genre Fabios, Yellow
ou Yume, que vient de
lancer un team d'architectes
branchés. Il y en a donc
pour tous les goûts.

Signes particuliers

Les horaires, en revanche,
ont peu changé. En Autriche,
en effet, on déjeune et on
dîne plus tôt qu'en France :
entre midi (voire 11h30) et
13h pour le déjeuner et entre
18h30 et 20h pour le dîner.
Rares sont les restaurants
qui servent après 22h (le Café
Drechsler, Linke Wienzeile
22, propose des salades, des
sandwichs, des saucisses au
raifort, etc. jusqu'à... 3h du
matin !). Autres particularités
locales : la consommation
d'eau du robinet, à table,
est tout à fait inhabituelle.
Comme les Autrichiens boivent
surtout de l'eau gazeuse,
précisez *stilles Wasser* si vous
désirez une bouteille d'eau
minérale plate. La bière
se boit ici en chope de
0,25 cl (*Pfiff*), 0,35 cl
(*Seidel*) – c'est la
mesure standard – et
0,50 l (*Krügel*). Elle est
parfois panachée mi-blonde

mi-brune (*Mischbier*) ou
mi-bière mi-limonade
(*Radler*), à l'instar du vin
que les Viennois allongent
parfois d'eau minérale gazeuse
(*G'Spritzt*). Le café des fins de
repas se prend au café plutôt
qu'au restaurant.

Prix

Comptez environ 20 €
pour un déjeuner dans un
restaurant basique, 35 €
dans un établissement
plus élégant, boissons non
comprises. La bouteille
atteignant souvent des
prix prohibitifs, le vin est
généralement servi au verre.
Si un déjeuner léger dans
un *café Konditorei* peut
se révéler onéreux (surtout
si vous le prenez chez Demel),
sachez qu'il est toujours
possible de vous nourrir à
moindres frais dans des restaus
à prix fixe. Les prix s'entendent
service inclus, cependant il est
d'usage de laisser un pourboire
(10 %). Mais attention, celui-ci
ne se laisse pas sur la table,
il faut le préciser au serveur
au moment où l'on règle
l'addition. Dans notre sélection,
nous avons attribué 1 étoile aux
restaus dont le plat principal
n'excède pas les 12 € à la carte,
2 étoiles lorsqu'il est compris
entre 12 et 18 €, 3 étoiles s'il est
facturé plus de 18 € et 4 étoiles
aux très grandes tables (plus
de 25 €).

SE REPÉRER

Nous avons indiqué,
à côté de toutes les
adresses des chapitres
Séjourner, Shopping
et Sortir leur
localisation sur le plan
situé à la fin de ce
guide.

Hôtels

1 - Style Hotel
2 - König von Ungarn
3 - Altstadt Vienna
4 - Römischer Kaiser

Stephansdom

König von Ungarn★★★★

1, Schulerstraße 10 (C2)
M° Stephansplatz
☎ 51 515 84
📠 51 58 48
203 €.

Imaginez un adorable jardin d'hiver, où l'on peut prendre le petit déjeuner, et 33 chambres rénovées, avec double vitrage, matelas douillets et meubles rustiques de Styrie. Cette oasis de charme existe bel et bien : à 100 m de la cathédrale, dans un monument classé, crépi de jaune Schönbrunn. Réservez longtemps à l'avance !

Kaiserin Elisabeth★★★★

1, Weihburggasse 3 (C2)
M° Stephansplatz
☎ 51 52 60
📠 515 267
208 €.

Un vénérable hôtel (1809), autrefois fréquenté par la noblesse, Wagner et Liszt, qui a conservé un indéniable parfum aristocratique et Biedermeier qu'un esprit chagrin qualifierait peut-être de guindé. Mais le hall, avec ses tapis persans, a beaucoup de classe. 63 chambres, pour les fans de Sissi. En hiver, forfaits « week-end » (3 nuits pour le prix de 2).

Kärntner Straße

Römischer Kaiser★★★★

1, Annagasse 16 (C3)
M° Karlsplatz / Oper
☎ 512 77 51
📠 512 77 51 13
De 159 à 259 €.

Un autre palais baroque (1684 plus stylé, dont les 24 chambre sont comme autant de petite bonbonnières très cosy : crèm pour les unes, or, brocart tentures rouges pour les autre Du bon ton viennois à 5 min l'Opéra (la direction se charg aussi de vous obtenir des plac pour la chorale des Petits Chan teurs ou le Manège espagnol)

Neuer Markt

1, Seilergasse 9 (C2)
M° Stephansplatz
☎ 512 23 16
❶ 513 91 05
De 72 à 135 €.

En haut d'une imposante cage d'escalier, une pension plutôt discrète, sans prétention mais tout à fait agréable, qui propose 37 chambres dans une gamme de roses et de blancs. Bon rapport qualité/prix à deux pas du Neuer Markt.

Sacher★★★★★

1, Philharmonikerstraße 4
M° Karlsplatz (C3)
☎ 51 456 0
❶ 51 456 810
De 376 à 613 €.

Si vous pouvez casser votre tirelire, passez au moins une nuit dans cet hôtel fondé en 1876 par Eduard Sacher, fils de l'inventeur du célèbre gâteau au chocolat. Très prisées des réalisateurs, jeunes Japonais, chefs d'orchestre et ténors (pour qui le Sacher est presque une annexe de l'Opéra), ses 152 chambres ne sont qu'élégance, luxe et raffinement : une équipe de tapissiers, de menuisiers, etc., veille d'ailleurs en permanence sur le décor, les bouquets, les meubles et les tableaux. Comptez entre 735 et 4 520 € pour une suite.

Aviano

1, Marco-D'Aviano-Gasse 1
M° Stephansplatz (C3)
☎ 512 83 30
❶ 51 283 306
De 136 à 165 €.

Une pension de 17 chambres décorées dans un style pseudo-viennois que l'on recommande vivement aux noctambules qui voudraient prendre un dernier verre de champagne à 2h du matin : elle est située juste à côté du Reiss Bar.

Graben

Nossek

1, Graben 17 (C2)
M° Stephansplatz
☎ 533 70 41
❶ 535 36 46
115 €.

On ne saurait être plus central ! Le Nossek est un vrai balcon sur le Graben, ses fiacres et ses badauds. On comprend que les 31 chambres de cette pension 3 étoiles soient très convoitées.

Pertschy

1, Habsburgergasse 5 (C2)
M° Stephansplatz
☎ 53 44 90
❶ 534 49 49
De 133 à 187 €.

Vous dénicherez cette pension dans le quartier des antiquaires au fond d'une cour du palais

Cavriani. 50 chambres décorées de luminaires en cristal et de meubles plus ou moins rococo, pour dormir dans des couettes bien fraîches. Les prix sont très raisonnables, compte tenu du quartier. Offres spéciales sur le Net : www.pertschy.com

Freyung/Synagogue

Palais Hotel★★★★

1, Rudolfsplatz 11 (C2)
M° Schottenring
☎ 533 13 53
❶ 533 13 53 70
230/240 €.

Vous avez un faible pour les vieux quartiers endormis et peu touristiques ? Cet hôtel, aménagé dans un palais du XIXᵉ s. où aurait vécu, dit-on, la maîtresse de François-Joseph, devrait vous plaire : il est situé juste en face d'un square assez délaissé du Textilviertel, domaine de la confection et des grossistes en tissu. Ses 66 chambres, tout en rotin et sisal, sont sobres et très propres. Offres week-end.

Style Hotel★★★★★

1, Herrengasse 12 (C2)
M° Herrengasse
☎ 22 780
❶ 22 780 77
À partir de 295 €.

Écrans plasma, lecteurs DVD, Internet haut débit… Pas de doute : l'hôtel de 78 chambres Art déco que Maria Vafiadis vient d'aménager dans une ancienne banque construite par un élève d'Otto Wagner est un concentré de high-tech et de confort. Il y a un sauna dans l'ancienne salle des coffres, un agréable restau au bout du hall (le Sapori), des forfaits week-end sur le Net (www.stylehotel.at) et le divin Café Central juste en face !

Stubenviertel

Arenberg

1, Stubenring 2 (D2)
M° Stubentor
☎ 512 52 91
📠 513 93 56
De 138 à 208 €.

Ne vous fiez pas à sa façade : Arenberg est l'une des pensions les plus chaleureuses de Vienne. Il n'y a que 22 chambres, sur 2 étages, mais elles sont coquettes (même si les papiers peints donnent parfois dans le genre chargé, mais c'est affaire de goût). Autre atout : l'arrêt du tram se trouve au pied de l'immeuble et la navette pour l'aéroport à 5 min à pied.

Palais Coburg★★★★★

Coburgbastei 4 (C3)
M° Stubentor
☎ 518 18 0
📠 518 18 1
À partir de 500 €.

Ce monumental palais, édifié en 1845 par le duc Ferdinand de Saxe-Cobourg-Gotha, n'a pas volé ses cinq étoiles. Après une rénovation qui a coûté la bagatelle de 85 millions d'euros, il a tout du Relais & château (dont il a d'ailleurs le label) : un espace wellness, un excellent restaurant où officie Christian Petz, et surtout 35 suites glamour de 55 à 165 m², décorées dans un style Biedermeier, Louis-Philippe, Art déco ou post-moderne. Certes, les prix sont… impériaux mais bon, on ne vit qu'une fois !

Spittelberg

Altstadt Vienna

7, Kirchengasse 41 (B3)
M° Volkstheater
☎ 526 33 99 ou 522 66 66
📠 523 49 01
De 139 à 159 €.

Juste en face de l'église Saint-Ulrich, à 7 min à pied du Ring et du quartier des musées, une pension calme, élégante, constituée de 42 chambres dont M. Wiesenthal et Matteo Thun viennent de refaire la déco : couleurs et tissus s'harmonisent avec les hauts plafonds et les parquets en bois. Le personnel fera l'impossible pour vous trouver une place à l'Opéra.

Maria Theresia★★★★

7, Kirchberggasse 6-8 (B3)
M° Volkstheater
☎ 521 23
📠 521 23 70
230 €.

En plein cœur du quartier de Spittelberg, un hôtel moderne qui cache ses 123 chambres fonctionnelles derrière une façade du XVIIIᵉ s. La déco, un peu trop uniforme, se décline en jaune, bois blond et rotin, mais il y a l'air conditionné, un buffet copieux et, pour ceux qui ne pourraient s'empêcher de garder le contact avec le bureau, un « point fax et ordinateur ».

Ring

Le Méridien★★★★★

1, Opernring 13-15 (C3)
M° Karlsplatz
☎ 588 900
📠 588 90 90 90
À partir de 395 €.

Grâce à Yvonne Golds (qui a rénové le British Museum), Vienne dispose désormais de 294 chambres à la déco très inspirée, en bois d'érable, verre dépoli et chrome satiné. L'espace balnéo et le restaurant Shambala, conçu par Michel Rostang, sont tout aussi épurés et lumineux. Forfaits week-end selon disponibilité.

Bristol★★★★★

1, Kärntner Ring 1 (C3)
M° Karlsplatz
☎ 51 51 60
📠 515 16 550
410 € (mais 229 € en juillet).

Depuis 1892, virtuoses et cantatrices ont pris l'habitude de séjourner dans ce légendaire hôtel de l'Empire austro-hongrois, réputé pour la qualité de son accueil, sa vue imprenable sur l'Opéra, ses 11 suites ultrachic et ses 114 chambres ornées de tableaux de maîtres et d'antiquités. Pour un week-end de charme intime et moelleux. PS : le restaurant (Korso) est très prisé, lui aussi.

Am Schubertring★★★★

1, Schubertring 11 (C3)
M° Stadtpark
☎ 71 70 20
📠 713 99 66
Ch. double à partir de 128 € (basse saison).

Un immeuble bourgeois du XIXᵉ s., situé à proximité du Konzerthaus, pour dormir dans les teintes acajou, crème e

pêche d'un décor Biedermeier ou Jugendstil (demandez de préférence une chambre à l'arrière). L'ambiance est feutrée, la clientèle classique et la propriétaire francophone. 39 chambres.

Mariahilf/Gare de l'Ouest

Am Brillantengrund★★★

7, Bandgasse 4 (A3)
M° Zieglergasse
☎ 523 36 62
🅕 523 36 62 03
116 €.

À trois minutes à pied, montre en main, du dépôt du mobilier impérial, un hôtel aimable et trop peu connu, de 31 chambres décorées dans un style Biedermeier. Il y a une remise à bicyclettes, si vous avez eu la bonne idée d'en louer une pour visiter Vienne.

Altwienerhof★★★

15, Herklotzgasse 6 (A4)
M° Gumpendorfer Str.
☎ 892 60 00
🅕 892 60 008
120 €.

Son restaurant est très réputé mais ses 26 chambres, décorées avec force velours, napperons en dentelle et marbre, sauront aussi vous faire oublier le quartier excentré et pas vraiment folichon. Selon la saison, on prend le petit déjeuner en plein air ou dans le jardin d'hiver. Agréable et francophone.

Naschmarkt

Das Triest★★★★

4, Wiedner Hauptstrasse 12
M° Karlsplatz (C3)
☎ 589 18 0
🅕 589 18 18
Ch. double à 265 €.

À un saut de puce du marché en plein air, un ancien relais de poste sur la route Vienne-Trieste, relooké par le célébrissime designer Sir Terence Conran en personne. Résultat : une cour

avec jardin, un restaurant dont la cuisine est loin d'être banale (caille aux raisins et à la purée de courge...) et 72 chambres en merisier et lin blanc.

Josefstadt

The Levante Parliament★★★★

8e, Auerspergstraße 15
M° Volkstheater
☎ 535 45 15
Ch. double à 275 €.

Un grand coup de chapeau à l'architecte Michael Stepanek et au maître-verrier Ioan Nemtoi qui ont réussi à faire de l'ancien sanatorium Auersperg (1908), situé derrière le Parlement, un hôtel de 74 chambres et suites ultra design et hyper lumineuses. Annexe au Laudongasse 8, où les appartements de 35 m² se louent 105 €/jour (85 € à partir du 7e jour).

Restaurants

1 - Palmenhaus
2 - Salzamt
3 - Cantinetta Antinori
4 - Drei Husaren

Alte Backstube★★

8, Lange Gasse 34 (B2)
M° Rathaus
☎ 406 11 01
Mar.-dim. 11h-minuit.
F. mi-juil.-août.

Dans cette maison baroque où l'on a cuit le pain de 1697 à 1963, Brigitte Schwarzmann vous concocte en dialecte des plats extrêmement autrichiens, du genre roboratif qui ne plaisante pas. Mais *fia der de fleischlos glicklich san* – pour ceux, autrement dit, qui sont fâchés avec la longe de bœuf bouillie et le lard de poitrine –, il y a aussi des plats végétariens.

Cantinetta Antinori★★

1, Jasomir-Gott-Straße 3/5
M° Stephansplatz (C2)
☎ 533 77 22
T. l. j. 12h-15h et 18h-23h.

C'est toujours le meilleur italien de la ville. Dans un bel espace qui tend à ressembler à la loggia d'une villa des Médicis, le chef (Gottfried Krasser) régale le Tout-Vienne d'une cuisine rodée avec succès à Florence et à Zurich. Son suprême de pintade au romarin frais est un délice, ses vins et son huile d'olive proviennent tout droit des collines de Toscane. Couvert : 3 €

Drei Husaren★★★★

1, Weihburggasse 4 (C2)
M° Stephansplatz
☎ 512 10 92 0
T. l. j. 12h-15h et 18h-23h
F. mi-juil.-mi-août.

Le Trois Hussards figure en bonne place au hit-parade des établissements de luxe. Les venaisons sont servies ici par un ballet de garçons en livrée, dans un salon douillettement bourgeois : chandeliers, cristal ciselé et *Nocturnes* de Chopin au piano. Un grand jeu céré-

nonieux qui coûte, mine de
rien, 79 € par personne, vins
non compris.

Hansen★★

, Wipplingerstraße 34 (C2)
M° Schottentor
☎ 532 05 42
Lun.-ven. 9h-2 h,
sam. 9h-17h.

Qui aurait pu penser que dans
es sous-sols de la lourde Bourse
(*Börse*) se cache l'une des
meilleures cantines de Vienne ?
Son chef, Christian Volthofer,
élabore des recettes très inventives
qui combinent, selon la saison,
dattes, pistaches, massepain…
C'est frais, charmant et inat-
tendu. Essayez le cuissot de cerf
aux morilles et confit d'airelles.
Plats entre 16 et 19 €.

Palmenhaus★★★

Burggarten (C3)
M° MuseumsQuartier
☎ 533 10 33
T. l. j. 10h-2h.

Grâce à Matthias Zykan, dont
n salue les talents de chef à
haque bouchée, les bo..bos.
mangent désormais sur des
appes en papier au milieu
es palmiers. Au menu : salade
e chèvre chaud, feuilles de
hêne, poire et *pesto* aux noix.
our accompagner ces agapes,
ouze vins dont le grüner Veltli-
er Achleiten Smaragd.

Vestibül★★

1, Dr. Karl-Lueger-Ring 2
M° Herrengasse (B2)
☎ 532 49 99
Lun.-ven. 12h-14h30
et 18h-23h, sam. 18h-23h.

Pour boire un bon verre de
chardonnay dans un cadre historique ou dîner d'un sandre au
fenouil tiède (21 €) avant le
lever du rideau, le « vestibule »
du Burgtheater s'impose comme
une halte élégante
et plus que recom-
mandable grâce au
tour de main, parfois
hardi, de son chef
– Marcus Radauer
– qui officie au mi-
lieu d'une ronde de
stucs, de colonnes
en marbre et de
grands bouquets de
branchages. Menu
de la Saint-Sylvestre
à 80 €.

Kupferdachl★★

1, Schottengasse 7 (B2)
M° Schottentor
☎ 533 93 81 14
Lun.-ven. 11h-minuit.

Ce restaurant réputé pour sa
cave affiche dans un cadre opulent à la lumière tamisée tous
les grands classiques de la gastronomie viennoise : *Tafelspitz,
Butterschnitzel, Apfelstrudel*,
etc. S'adresse surtout, on l'aura
compris, aux gros appétits.

Oswald & Kalb★★

1, Bäckerstraße 14 (C2)
M° Stubentor
☎ 512 13 71
T. l. j. 18h-2h.

Dans un *beisl* inauguré en 1979
par deux marchands d'art, quelques plats viennois rehaussés de
truffes ou de poivre de Szechuan
pour une clientèle de plus en
plus cosmopolite. Le menu
tourne autour de 25 €.

Plachutta★★★

1, Wollzeile 38 (C2)
M° Stubentor
☎ 512 15 77
T. l. j. 11h30-22h30.

Comme votre week-end risque
d'être très *Schnitzel* et *Tafelspitz*
(21 €), mieux vaut savoir où
déguster les meilleures. Certes,
ce célèbre restau est cher, mais
ses recettes sont épatantes et son
service impeccable. Réservation
recommandée !

Salzamt★

1, Judengasse 1 (C2)
M° Schwedenplatz
☎ 533 53 32
Lun.-ven. 12h-2h,
sam.-dim. 17h-2h.

Un noyau dur du « Triangle des
Bermudes » (voir p. 43). Dans
un décor épuré signé Hermann
Czech, une clientèle yuppie,
jeune et mode se retrouve autour
d'une carte italo-autrichienne
avant de faire la tournée des
bars du quartier. Parmi les
valeurs sûres : la roquette au
parmesan (7 €) et le *Topfen*
morave au pavot et à la confiture de quetsches. Sympathique
et plein d'entrain.

Steirereck★★★★

Meierei im Stadtpark (C3)
☎ 713 31 68
Lun.-ven. 12h-16h et
18h30-0h.

Grâce à Helmut Österreicher,
le Steirereck s'était assuré
une première place au firma-
ment de la gastronomie viennoise. Le chef est parti pour
le MAK (p. 50), remplacé par
Heinz Reitbauer, un peu moins
toqué, mais les sommeliers
sont restés très aimables et
l'assortiment de fromages est
toujours aussi opulent (nos
préférés ; le Steirischer Wein-
käse n° 26 et le Rosé n° 34.
Menu du soir à 98 €.

Sur le pouce

1 - Café Leopold
2 - Göbel
3 - Cantino

Café Leopold★

1, Museumsplatz (B3)
M° MuseumsQuartier
☎ 523 67 32
Dim.-mer. 10h-2h,
jeu.-sam. 10h-4h.

Le Leopold ne déroge pas à la règle qui veut qu'aujourd'hui chaque musée ait son café. Mais celui-ci a la particularité d'être doté d'une galerie suspendue en verre (architecte : Angela Hareiter) et d'être animé, à partir de 22h, par d'excellents DJ. Les potages sont à 3,60 € et les plats, comme le sandre aux limettes et coriandre, tournent autour de 7 €.

Sacher Eck'★

1, Kärntner Straße 38 (C3)
M° Karlsplatz/Oper
☎ 514 560
T. l. j. 9h-1h.

Pour déjeuner d'une quiche au saumon assis sur un haut tabouret, il y a aussi, bien sûr,

Cantino★

1, Seilerstätte 30 (C3)
M° Stephansplatz
☎ 512 54 46
Lun.-ven. 12h-15h
et 18h-23h, sam. 18h-23h,
dim. 12h-15h.

Vous ne pouvez pas le rater : l'ascenseur ne monte pas plus haut. Au dernier étage de la Maison de la musique, la famille Weinzirl propose des *tortelloni* à la courge et du chevreuil aux olives, mais aussi des soupes pour celles et ceux qui seraient pressés de retourner dans la « sonosphère ». Belle vue sur les toits de la City ; le dim., tapas à volonté (25 €).

Weibel's Bistro★★

1, Riemergasse 1-3 (C2)
M° Stephansplatz
☎ 513 31 10
Mar.-sam. 17h-minuit.

Hans Weibel, dont on sait qu'il a une excellente cave, était déjà l'heureux papa de deux autres établissements dans le 1er arr. (Kumpfgasse 2 et Wollzeile 5). Son petit dernier brille par une cuisine très savoureuse, légère, tendance majorquine mais aussi autrichienne, concoctée par Günter Maier, le nouveau *jefe de cocina* ! Au tableau noir : des raviolis de cabillaud au safran. Menu dégustation : 55 €.

Sacher Eck' : c'est tout nouveau, terriblement exigu mais c'est le genre d'endroit dont on fait vite son quartier général ! Les gourmands n'oublieront pas, au passage, de déguster une *Sachertorte mit Schlag* (5 €).

Trzesniewski★

1, Dorotheergasse 1 (C2)
M° Stephansplatz
☎ 512 32 91
Lun.-ven. 8h30-19h30, sam. 9h-17h.

Une adresse vieille comme le monde, où mamies affolées et jeunes cadres débordés se pressent, dans un décor « buffet-de-gare-de-province-comme-on-n'en-fait-plus », autour de délicieuses tartines au pain de seigle nappées d'œufs mimosa, de salami ou d'anguille fumée (0,90 €). À consommer debout, avec un doigt de bière. Le tout se prononce « tschesniewski ».

Wrenkh★★

1, Bauernmarkt 10 (C2)
M° Stephansplatz
☎ 533 15 26
Lun.-ven. 12h-16h et 18h-23h, sam. 18h-23h.

Le repaire favori des végétariens branchés. Saison après saison, Wrenkh n'en finit pas de séduire les Viennois avec ses risotto, ses tofu et autres petits plats élégamment servis dans un décor tout en bois et verre, conçu par les architectes Eichinger et Knechtl.

Yohm★★

1, Petersplatz 3 (C2)
M° Stephansplatz
☎ 533 29 00
T. l. j. 12h-15h
et 18h-minuit.

Si vous êtes las(se) de l'escalope viennoise et de la mozzarella, essayez cet asiatique trendy et créatif dont le chef, Winni Brugger, a fait ses classes à Hong-Kong. Les

nouilles au curry vert sont peut-être un brin trop relevées mais le poulet satay & chutney est parfait, les couverts sont design et les grandes baies vitrées plongent littéralement sur l'église Saint-Pierre. Le midi, formule légère à 16,90 €.

Lutz-Bar★

6, Mariahilfer Straße 3 (B3)
M° MuseumsQuartier
☎ 585 36 46
T. l. j. 8h-2h (sam. jusqu'à 4h).

Un petit creux en plein shopping sur la Mariahilf ? Faites une halte dans le bar créé, à 4 m au-

dessus du niveau de la rue, par Hansheinz et Jürg Lutz ! Ils ont des petits plats, des soupes et des salades légères (la frisée aux poires, fromage de brebis sauce gingembre est originale) dont le prix ne dépasse pas les 8 €.

Heurigen

Göbel★

21, Hagenbrunner Straße 151
Bus 228 (HP)
☎ 294 84 20
Mai-oct. ven.-lun. 17h-23h.

S'il fait beau, rendez-vous au beau milieu des cépages du Bisamberg où le vigneron Hans Peter Göbel propose, dans le cadre sobre et néanmoins idyllique de son « estaminet de campagne » (*Buschenschank*), d'excellents vins rouges, accom-

pagnés de salades, jambon de sanglier et légumes cuits.

Wieninger★

21, Stammersdorfer Straße 78
Tram 31 (HP)
☎ 292 41 06
Mars-mi-déc. mer.-ven. 15h-minuit, sam.-dim. 12h-minuit (t. l. j. juil.-août).

Fritz Wieninger, la star montante de la viticulture autrichienne, a un frère − Leo − qui tient, dans le quartier de Stammersdorf, un formidable *Heurige* avec salade de haricots verts, boudin noir, roulade au chou et chardonnay.

Mais aussi

En dehors des cafétérias de musée comme le MAK (p. 50), le Do & Co (Albertina, p. 53) ou le Ruben's (palais Liechtenstein, p. 67), les « cantines » où l'on peut déjeuner sur le pouce à peu de frais sont légion. Il y a bien sûr le Deli du Naschmarkt (p. 59), le Café Stein (p. 67) mais aussi les pizzas et légumes cuits de Bizi (Rotenturmstraße 4, ☎ 513 37 05, ouv. t. l. j. 10h30-2h), la populaire brasserie Siebensternbräu aux solides portions (Siebensterngasse 19, ☎ 523 86 97, lun.-dim. 11h-23h) et le Lux (Spittelberggasse 3, ☎ 526 94 91, lun.-ven. 11h-2h, sam.-dim. 10h-2h) où vous pourrez même bruncher pour 8,40 € le dimanche entre 11h et 15h.

Salons de thé

1 - Sperl
2 - Sacher
3 - Sluka
4 - Prückel

Kleines Café

1, Franziskanerplatz 3 (C2)
M° Stephansplatz
Lun.-sam. 10h-2h,
dim. 13h-2h.

Le plus exigu des cafés viennois
– tout juste six tables dans une
salle voûtée – n'est pas un vague
bar improvisé : il a été décoré
de main de maître par Hermann Czech et conserve toute la
confiance de ses habitués grâce
à ses omelettes paysannes, ses
saucisses chaudes et ses tartines
de chèvre-olives servies sur des
planches en bois. Idéal pour un
petit en-cas en tête à tête.

Sluka

1, Rathausplatz 8 (B2)
M° Rathaus
☎ 405 71 72
Lun.-ven. 8h-19h,
sam. 8h-17h30.

Si vous êtes de ceux qui rosissent
de plaisir à la vue d'un gâteau
inondé de chantilly, faites un
crochet par cette pâtisserie toute
blanche, située à côté de l'hôtel
de ville. Sluka est une invitation
permanente à la gourmandise
ainsi qu'un havre de tranquillité.
Il y a peu de touristes, beaucoup
de tartelettes renversantes et d'excellents thés. Ambiance feutrée.

Sperl

6, Gumpendorfer Str. 11 (B3)
M° MuseumsQuartier
☎ 586 41 58
Lun.-sam. 7h-23h,
dim. 11h-20h.

Élu meilleur café de Vienne en
1998, le Sperl était autrefois le
QG d'un groupe de sécessionnistes (le « Club des sept »)
qui s'y réunissait pour discuter
et gribouiller sur les nappes
des animaux imaginaires, des
caricatures de clients et autres
dessins désormais conservés à
l'Albertina. Aujourd'hui, il attire
surtout des étudiants désargen-
tés et talentueux, des joueurs de
billard et des journalistes. Avec
l'assurance d'y trouver, chaque
matin, *Le Monde* et des petits
pains frais.

Prückel

**1, Stubenring 24 (D2)
M° Stubentor
☎ 512 61 15
T. l. j. 8h30-22h.**

Si vous êtes sensible au style années 1950, optez pour le Prückel, situé à deux pas du musée des Arts appliqués (MAK). C'est un café agréable, clair et décontracté, où l'on joue au bridge et où l'on croise des gens sympas. Avec grandes baies vitrées, terrasse et pianiste en soirée.

Landtmann

**1, Dr. Karl-Lueger-Ring 4
M° Herrengasse (B2)
☎ 24 100 0
T. l. j. 7h30-minuit.**

Ce café classé monument historique est établi à mi-chemin entre la fac, le théâtre et l'hôtel de ville : une situation propice aux échanges et au mélange des genres. Acteurs, hommes politiques, journalistes et étudiants prennent leur moka ou leur soda au bureau dans le nouveau « jardin d'hiver », tout en grignotant un *Buchtel* à la vanille et confiture d'abricot. En été, le show continue en terrasse.

Sacher

**1, Philharmonikerstraße 4
M° Karlsplatz (C3)
☎ 514 56 661
T. l. j. 8h-minuit.**

Vous y rencontrerez davantage de Japonais que de Viennois, mais mettez tout de même vos plus beaux atours et prenez le temps qu'il faut pour y déguster, dans un cadre rouge et or, parmi les portraits de la famille impériale, les gâteaux maison du chef pâtissier Friedrich Oflieger. La célèbre *Sacher-torte*, servie avec un nuage de crème fouettée, est toujours confectionnée d'après la recette originale de 1832.

Lehmann

**1, Graben 12 (C2)
M° Stephansplatz
☎ 512 18 15
Lun.-sam. 8h30-19h.**

À deux pas de la colonne de la Peste, une pâtisserie dont la réputation n'est plus à faire et qui ne s'en tient pas aux seuls strudels. Il y a aussi un large choix de gâteaux de riz, de *Dobos* et de tartes *Esterházy* (3,10 €), pour les fous de glaçage et de crème au chocolat.

Bräunerhof

**1, Stallburggasse 2 (C3)
M° Stephansplatz
☎ 512 38 93
Lun.-ven. 8h-21h, sam. 8h-18h30, dim. 10h-18h30.**

Avec sa déco élimée et sa lumière jaunâtre, ce café fort peu touristique n'a guère changé depuis l'époque où l'écrivain Thomas Bernhard (1931-1989) venait se réfugier « près de l'entrée parce que c'est mieux aéré ». À tester aussi le week-end, pour les concerts qu'y donne le trio Schelz.

Hawelka

**1, Dorotheergasse 6 (C2)
M° Stephansplatz
☎ 512 82 30
Lun., mer.-sam. 8h-2h, dim. 10h-2h.**

Ce légendaire Hawelka, qui tient plus de l'usine que du café, ne désemplit pas. Il est pourtant exigu, sombre, enfumé, très limité en thés (au fond, il n'y a que deux variantes possibles : avec citron ou avec lait) et en pâtisseries (*Buchteln*). Mais le décor bohème et extrêmement patiné a un charme incomparable qui en fait la halte obligée des intellos et des étrangers avides de presse internationale.

Tichy

**10, Reumannplatz 13 (HP)
☎ 604 44 46
Mi-mars-fin sept. 10h-23h.**

Au terminus de la ligne de métro U1, le plus célèbre des glaciers autrichiens propose une quinzaine de parfums dont l'*Eis-Marillenknödel* (abricot) et l'*Erdbeer* (fraise), vedettes incontestées de sa production artisanale. Ce sont des bombes de calories, mais vous pourrez toujours faire quelques longueurs dans la piscine voisine : l'Amalienbad. 2,30 € le cornet géant.

Zanoni

**1, Lugeck 7 (C2)
M° Stephansplatz
☎ 512 79 79
T. l. j. 7h30-minuit.**

À Vienne, le roi de la glace italienne s'appelle Luciano Zanoni. Que vous choisissiez le sorbet aux airelles, le *gelato* au mascarpone, à la ricotta ou aux marrons, pour 1,80 €, vous aurez le droit à 2 parfums en cornet.

Shopping mode d'emploi

La City, centre historique, touristique et politique de Vienne, est aussi celui du shopping. Pour un lèche-vitrines chic et bon teint, il suffit de déambuler dans la Kärntner Straße, sur le Graben et Kohlmarkt. C'est là en effet, à proximité du palais de la Hofburg, que se situent très logiquement les anciens fournisseurs de la cour impériale, les orfèvres, les antiquaires et les boutiques de mode. Vous y trouverez toutes les marques prestigieuses à des prix élevés...

Où faire ses achats ?

Dans les quartiers adjacents (Hoher Markt, Am Hof, Naglergasse, Rotenturmstraße, Singerstraße), les magasins sont nettement moins prétentieux, un peu plus

SE REPÉRER

Nous avons indiqué, à côté de toutes les adresses des chapitres Séjourner, Shopping et Sortir leur localisation sur le plan situé à la fin de ce guide.

originaux et un brin moins chers. Et à la périphérie immédiate, il existe un autre pôle d'attraction, plus « petit budget » : la populaire Mariahilfer Straße. Non seulement les vendeuses y sont moins revêches que leurs consœurs de la City, mais cette artère est une véritable aubaine pour les piétons fatigués : elle est desservie par le métro et le bus. Évitez néanmoins de vous y rendre les samedis de décembre : ses trottoirs et ses grands magasins sont littéralement pris d'assaut par des bataillons

de consommateurs. Cela vaut aussi pour le SCS (Shopping City Süd) de Vösendorf, qui est incontestablement le « mégatemple » du shopping autrichien.

Heures d'ouverture

Les boutiques situées au cœur du 1er arrondissement sont généralement ouvertes du lundi au vendredi de 10h à 19h, le samedi de 10h à 18h. Les autres sont un peu plus paresseuses : elles ferment le samedi après-midi (à l'exception du premier samedi du mois) et s'octroient une courte pause à l'heure du déjeuner. Seuls les grands magasins de la Mariahilfer Straße font un petit effort pour rester ouverts jusqu'à 20h les jeudi et vendredi. Les commerces alimentaires suivent un autre régime : vous pourrez y faire vos courses dès 7h ou 8h jusqu'à 19h ou 20h, le samedi jusqu'à 13h ou 17h. Les fleuristes, bureaux de tabac, drogueries et épiceries de l'aéroport, de la Westbahnhof (gare de l'Ouest) et de la Südbahnhof (gare du Sud) sont ouverts du lundi au dimanche de 7h à 23h30.

Comment payer ?

La grande majorité des boutiques acceptent les cartes de paiement, en particulier la Visa, l'Eurocard, la Diner's Club et l'American Express. Pour vous en assurer, il vous suffit de regarder les autocollants affichés sur la porte d'entrée. Le plus souvent, vous n'aurez pas besoin de composer votre code pour valider votre achat : le vendeur vous donnera le ticket de caisse avec l'empreinte de votre carte

à signer. En cas de perte ou de vol de votre carte de paiement, téléphonez au centre d'opposition :
☎ 0892 705 705 pour les Visa ;
☎ 0033 1456 78484 pour les Eurocard et Mastercard ;
☎ 0033 1490 61776 pour les Diner's Club ;
☎ 0033 1477 77200 pour les American Express.

Détaxe

Vous résidez hors de l'Union européenne ? Sachez que vous avez la possibilité de vous faire rembourser la TVA autrichienne (*Mehrwertsteuer*) si le montant de vos achats, par magasin, est supérieur à 75,01 €. Pour cela, il vous suffit de demander au commerçant de compléter le *global refund cheque* et de le faire viser par les services des douanes (*Zollamt*) au moment de

quitter le territoire autrichien. La TVA (15 %) vous sera remboursée en espèces sur présentation de ce chèque.

Expédition à domicile

La plupart des magasins de meubles, décoration d'intérieur, tapis, etc., se chargeront d'expédier à domicile vos achats les plus volumineux par l'intermédiaire d'un transporteur qui vous établira un devis en fonction du kilométrage et du cubage, assurance incluse. À défaut, vous pouvez contacter Lagermax, Ailecgasse 36, ☎ 760 30 0, www.lagermax.com.

Formalités de douane

Depuis le 1er avril 1998, l'Autriche fait partie de l'« espace Schengen ». Les prescriptions, en matière de douane, sont donc les mêmes que celles en vigueur dans les autres pays de l'Union européenne. La quantité de certaines denrées est limitée. Vous avez le droit de rapporter d'Autriche jusqu'à 800 cigarettes, 200 cigares, 1 kg de tabac, 10 litres d'alcools, 90 litres de vins (dont 60 l de mousseux) et 110 litres de bière. Les douaniers se montrent plus sourcilleux sur la question des contrefaçons.

La mode
au féminin

**On dit Vienne classique et peu sensible aux vertiges de l'apparence.
Il est vrai qu'elle affiche un chic propret, collet monté, parfois terne
à l'approche de l'hiver. Mais c'est sans compter sur une jeune génération
de stylistes qui l'aide à s'affranchir en douceur de ses ennuyeuses raideurs
par de coquets cardigans zippés, pour les plus sages, ou d'incroyables
fuseaux « technoïdes », pour les plus turbulentes.**

Maille

Atlas
**Bäckerstraße 3 (C2)
M° Stephansplatz
☎ 512 98 50
Lun.-sam. 10h-18h.**

Une déco fonctionnelle,
avec des portants de métal
et de bois, pour mieux faire

ressortir de gros pull-overs
en cachemire (100 à 200 €)
qui vous permettront de
jouer au petit chaperon
rouge. À signaler aussi les
très beaux pulls griffés
Mallonian et John Smedley.

Haider-Petkov
**Wollzeile 6 (C2)
M° Stephansplatz
☎ 512 38 23
Lun.-ven. 11h-18h,
sam. 11h-17h.**

Depuis qu'ils ont repris le
flambeau de la maison Haider-
Petkov, Suzanne la styliste
et Manfred le technicien
n'ont pas chômé : ils ont
conçu une ligne de tricotages
fluides et raffinés, aux subtils
effets de transparence, en

mohair, en Lurex ou en
polyester à 90 %, comme
leurs drôles de pull-overs brun
et bleu qui ressemblent à
des stores vénitiens.

Stylistes et créateurs autrichiens

Artup
**Bauernmarkt 8 (C2)
M° Stephansplatz
☎ 53 55 097
Lun.-ven. 11h-18h30,
sam. 11h-17h.**

Envie de sortir des sentiers
battus ? Faites un saut chez
Artup : c'est la nouvelle vitrine
de la créativité autrichienne !
Vous y trouverez des chapeaux

igolos de Karin Fronius, qui a
ait ses classes à l'école de
mode de Hetzendorf, mais
ussi une palette variée
e vêtements créés par des
alents prometteurs comme
ybille Bauer-Schmidt,
Kasei ou Christine
Kitzwegerer. Sympa !

Modus vivendi

Schadekgasse 4 (B3)
M° Neubaugasse
☎ 587 28 23
Lun.-ven. 11h-19h,
sam. 12h-16h.

La charmante Monika
Bacher a planté son décor,
volontairement effacé – un
divan, une psyché, quelques
mannequins – dans un
quartier qui n'est pas connoté
« mode ». Elle y présente son
dernier parfum au côté d'une
ligne plutôt classique inspirée
par la confection anglaise :
de jolies chemises à col vert,
parme, crème ou brun, des
pulls 100 % mérinos dont vous
pourrez, à votre gré, combiner
les couleurs. C'est bien,
ce n'est pas plus cher
qu'ailleurs et c'est convivial :
à l'heure des nouvelles
collections, le *team* de Modus
vivendi sert la soupe au
potiron, le vin blanc, le punch
et les petits gâteaux.

Rogy & Ostertag

Landskrongasse 1-3 (C2)
M° Stephansplatz
☎ 532 30 54
Lun.-ven. 11h-19h,
sam. 11h-17h.
Ils sont deux à tenir les
rênes de ce sympathique
showroom : Marcel Ostertag
et Martina Rogy. Le premier
y expose ses créations
pour hommes (des boléros
décontractés, des trenchs
aux tons vert d'eau, parme
ou saumon...). La seconde
se taille un franc succès avec

des modèles romantiques
en diable rehaussés d'un
zeste d'extravagance : des
pantalons noués au-dessus
de la cheville, des chaussures
à fines courroies d'étoffes
tressées... Superbe !

Wabisabi

Lindengasse 20 (B3)
M° Neubaugasse
☎ (0664) 54 51 280
Mar.-ven. 11h-18h,
sam. 11h-15h.
Depuis que Stefanie Wippel
a ouvert cette boutique
lilliputienne d'un blanc
immaculé, le concept zen
de wabi-sabi – l'art de la
beauté imparfaite – n'a plus
de secrets pour les bo.-bos.
du quartier. Cette jeune
styliste qui a fait ses classes
à Munich et au Japon,
coupe des vestes asymétriques
aussi épurées qu'un haïku
de larges pantalons de pêche
et des kimonos bleu pâle
(175 €) d'une élégante
simplicité. À suivre !

ART FOR ART

Ce génial atelier de confection, qui compte
150 employés, 200 ans d'expérience et 180 000 pièces,
n'est pas seulement le n° 1 sur le marché européen du
costume de théâtre et de cinéma : il habille aussi les
particuliers ! Si vous avez envie de froufrous baroques
ou d'un corsage en organza 1920, c'est donc là qu'il
vous faudra prendre rendez-vous (Goethegasse 1,
☎ 514 44 7201).

Pur

Operngasse 34 (C3)
M° Karlsplatz
☎ 585 12 80
Lun.-ven. 14h-19h,
sam. 11h-17h.

Mine de rien, cette boutique
lilliputienne recèle de superbes
articles, créés par une styliste
encore trop confidentiellement
connue dans le monde
du chic autrichien : Angela
Schwarzinger. Déclinés selon
une palette quasi monacale
(noir, rouge, prune, crème),
ses bonnets transformables
à 36 € et ses pulls « très
près du corps » à 72 € sont
un modèle de sobriété et
d'élégance. Un minimalisme
mâtiné de Greco, de gothique
et de Yamamoto.

Combinat

MuseumsQuartier (B3)
M° Volkstheater
Mar.-sam. 12h-19h.

Une demi-douzaine de
créatrices – dont Pitour,
Imre Katalin de Budapest
et Claudia Güdel de Bâle –
ont investi une galerie au fond
de la cour n° 7 du MQ, côté
Burggasse, pour y présenter
les musts de leur collection :
un joyeux pêle-mêle

de vêtements jeunes,
décontractés et originaux,
qui devraient permettre
aux plus audacieuses de
renouveler leur garde-robe
à peu de frais (surtout
pendant les poker week-ends
où les derniers modèles sont
bradés à coups de dés).

Elfenkleid

Margareten Straße, 39 (C3)
M° Karlsplatz
☎ 208 52 41
Mar.-sam. 11h-18h.

On sent tout de suite
qu'Annette Prechtl et Sandra
Thaler ont plein d'idées !
Pour leur dernière collection
(*Bláa Lonio*, « Bleu Lagon »
en v. o.), les deux jeunes
Tyroliennes ont puisé du côté
de… l'Islande. Résultat :
des « vêtements d'elfe »

aériens, brun lave, vert lichen
et blanc glacier qui allient
le sens de la coupe et le souci
de l'harmonie. De quoi sortir
des sentiers battus !

Chic international

Fürnkranz

Kärntner Straße 39 (C3)
M° Stephansplatz
☎ 488 440
Lun.-ven. 10h-19h,
sam. 10h-18h.

Chez Fürnkranz aussi, qui
vient de fêter ses trente ans,
les grandes griffes comme
Mugler, Rena Lange ou
l'Allemand Joop sont au
rendez-vous. Sur trois étages,
au beau milieu d'un ballet
de vendeuses virevoltantes,
des collections stylées, pas
du genre « tout fou » mais
d'un goût très sûr. Prix à
peine moins élevés qu'à Paris.

Amicis

Parkring 12 (C/D3)
M° Stubentor
☎ 513 26 36
Lun.-ven. 10h-18h30,
sam. 10h-18h.

À deux pas du Hilton,
du Marriott et de
l'Intercontinental, un
espace de 200 m², conçu par
l'architecte Redo Maggi
pour accueillir une sélection

de labels italiens – Patrizia Pepe, Dolce & Gabbana – et d'accessoires qui devraient faire perdre la tête aux plus dépensières. Ambiance VIP (annexe « homme » : Johannesgasse 19, ☎ 513 21 10).

Street wear et avant-garde

Bernhart

**Kärntner Straße 35 (C3)
M° Stephansplatz
☎ 512 91 03
Lun.-ven. 10h-19h (20h le jeu.), sam. 10h-18h.**

Annemarie Bernhart a pris le parti – plutôt inhabituel à Vienne – de ne mettre en scène que ses coups de cœur. La boutique qu'elle a inaugurée en 2001 et qui est la plus sympa de sa mini chaîne réunit donc un peu de Diesel, des blazers en cuir et des jeans velours (100 €), des sweats australiens et du street wear années 1980. Pour être dans le coup sans avoir l'air d'une mutante…

Peak Performance

**Mariahilfer Straße 55
M° Neubaugasse (B3)
☎ 01 585 61 18
Lun.-ven. 9h30-19h, sam. 9h30-18h.**

Cette entreprise suédoise, championne de sportswear depuis 1986, ne produit pas que du vêtement tout-terrain spécial Cercle polaire. Elle vend aussi de quoi pratiquer le yoga chez soi ou se dégourdir les mollets à la plage. Du tee-shirt rayé façon matelot à la veste zippée brun/orange en Gore-Tex®, les articles sont un peu chers mais très craquants !

Front Line

**Mariahilfer Straße 77-79
M° Neubaugasse (B3)
☎ 586 30 68
Lun.-ven. 10h-19h, sam. 10h-18h.**

Ce n'est pas le « Front Line » où s'habillaient les punks des années 1970 (celui-là se trouvait près du pont Lobkowitz, M° Meidling U4), mais le Front Line du Generali-Center. Reinhard Maier y propose un pot-pourri de street wear et d'avant-garde. À voir surtout pour ses duffle-coats, ses minijupes et ses denims G-Star importés des Pays-Bas.

Park

**Mondscheingasse 20 (B3)
M° Neubaugasse
☎ 526 44 14
Lun.-ven. 10h-19h, sam. 10h-18h.**

Markus Strasser et Helmut Ruthner ont créé l'événement l'an dernier en ouvrant, au cœur du quartier de Neubau,

un showroom comme on les aime, zen, hype et aéré (400 m^2), entièrement dédié au meilleur de l'avant-garde. À signaler surtout, à côté du Chypriote Hussein Chalayan et du jeune Anversois Christian Wijnants, les créations d'Edwina Hörl et celles d'un duo de stylistes qui a remporté en 2002 le prix Austrian Fashion Award : Hartmann Nordenholz.

LE COME-BACK DE LA FOURRURE

Ce fut longtemps l'un des fleurons de la confection viennoise. Les quelques *Pelzhäuser* qui restent sont très appréciés pour leurs revers de poignet en vison côtelé, leurs chapkas new look, leurs manchons de renard, leurs gilets en marmotte et soie. Voici, parmi d'autres, deux fourreurs qui assurent aussi le lustrage et les réparations : **Weinstein** (1010, Hoher Markt 9, C2, ☎ 533 34 51) et **Liska** (1010, Graben 12, C2, ☎ 512 41 20).

L'homme
et la mode

Vienne dispose de solides arguments pour séduire aussi bien les partisans du genre business strict que les mousquetaires d'une mode plus fun. Les uns trouveront dans le 1er arrondissement – totalement épargné par la vague du sweat-shirt à capuche – leur chandail en lambswool et leur costume gris anthracite. Les autres viseront le quartier de Mariahilf-Neubau où les fringues, idéales pour traînailler au café du coin et écumer les pistes de danse, savent allier confort, élégance et petits prix.

Knize

Graben 13 (C2)
M° Stephansplatz
☎ 512 21 99
Lun.-ven. 9h30-18h,
sam. 10h-17h.

Maître Knize (prononcez « knije », à la tchèque), un champion de l'élégance sur mesure, coupe ses lés de flanelle et de prince de galles au premier étage d'une étroite boutique agencée en 1913 par Adolf Loos. Les redingotes et les costumes trois pièces qui sortent de ce bel atelier de confection, digne d'un club de gentlemen, sont réputés pour leurs finitions impeccables – prévoyez trois semaines de

délai – mais ses écharpes en pur cachemire à petits pois (de 125 à 300 €) font aussi un malheur !

2006FEB01

Plankengasse 3 (C2)
M° Stephansplatz
☎ 513 42 22
Lun.-ven. 10h-18h30,
sam. 10h-17h.

Avec 2006FEB01, on entre de plain-pied dans le monde des designers les plus talentueux du moment. Dans leur superbe « concept store » de 270 m², Manfred Staudacher et Horst Payrhuber ont en effet réuni au 2e étage, sous de petits abat-jour noirs, des panoplies fluides et élégantes griffées Alessandro dell'Acqua, Viktor & Rolf, Kris van Assche (le nouvel homme Dior)... sans oublier le célèbre

...réateur autrichien Helmut Lang, qui fut prof de mode aux Arts appliqués de Vienne. Bref, du prêt-à-porter tout à fait portable qui a toujours, dans la coupe comme dans la matière, un soupçon d'avant-garde.

Harry & Sons

Am Hof 5 (C2)
M° Herrengasse
☎ 533 36 66
Lun.-ven. 10h-18h,
sam. 10h-17h.
Ce chemisier italien, qui a déjà 50 boutiques en Italie, vient d'ouvrir ses deux premières filiales à l'étranger : en Thessalonique et à Vienne. Avec lui, pas de liquettes excentriques ou malicieuses,

JUNGMANN & NEFFE

Citons enfin, pour le plaisir des yeux, l'adresse du tailleur le plus impérial de Vienne : Wilhelm Jungmann & Neffe, ancien fournisseur de la Cour. Fondé en 1866, ce temple de la belle étoffe réunit sous un superbe plafond à caissons tout ce qui fait le trousseau de l'homme du monde :
bretelles, parapluies, foulards et cravates cachemire, pour avoir l'air *fesch* (fringant) et classe à la fois.
Albertinaplatz 3 (C3), M° Karlsplatz
☎ 512 18 75 ; lun.-ven. 9h30-19h, sam. 10h-18h.

mais un vaste choix de rayures et de petits carreaux, à partir de 60 €, pour les rendez-vous d'affaires et le friday wear.

Kent

Rotenturmstraße 13 (C2)
M° Stephansplatz
☎ 533 73 62
Lun.-ven. 9h30-18h30,
sam. 10h-18h.
Une boutique prête à vous livrer quelques clés de l'élégance masculine version british. Son point fort : la maille, avec des lambswools de chez Burlington, des petits

polos jersey à 69 € et des chaussettes en fil d'Écosse. Mais on y vend aussi des pantalons classiques à pinces, des duffle-coats, des blousons aviateur et toutes sortes de choses pour avoir l'air en

vacances, même lorsqu'on est un jeune yuppie débordé.

Schwanda

Bäckerstraße 7 (C2)
M° Stephansplatz
☎ 512 53 20
Lun.-ven. 9h-18h,
sam. 9h-17h.
Schwanda est un vrai filon pour les amateurs de plein air et tous ceux qui ne perdent pas de vue que l'Autriche est un pays alpin. Si vous rêvez d'escalader la face nord des Karawanken ou, plus simplement, de faire de la randonnée dans la forêt viennoise, il y a ici de très bons polos en transtex, des chemises en polarlite et des joggings sans oublier l'indispensable coupe vent « Helium », qui nous vient de Graz et ne pèse que 79 grammes pour 70 €.

Dantendorfer

Weihburggasse 9 (C2)
M° Stephansplatz
☎ 512 59 65
Lun.-ven. 9h30-18h,
sam. 9h30-17h.
Pour les adeptes d'un style *konservativ* qui n'exclut pas la décontraction, une belle gamme de chemises indémodables, déclinées dans toutes sortes de tissus, rayures et coloris, et d'autres modèles plus acidulés, signés Ralph Lauren ou Etro.

Ferman

Kramergasse 9 (C2)
M° Stephansplatz
☎ 533 34 26
Lun.-ven. 10h-18h30,
sam. 10h-17h.
Ferdinand Mandel s'est lancé, lui aussi, dans la chemise classique et de bon goût (à partir de 43 €), mais il propose également des modèles d'écharpes et de cravates (36 €) en soie, lin ou coton, à jacquards floraux ou à motifs cachemire.

Chapeaux, sacs,
bijoux et autres accessoires

Un bibi de paille ? Un pendentif en écaille ? Profitez de votre week-end pour vous mettre en quête de ce petit rien, apparemment futile, qui va tout changer. En matière d'accessoires, Vienne donne le ton. Et si les prix sont élevés, la production, souvent artisanale, est infiniment soignée. L'occasion de découvrir, au passage, quelques-uns des magasins les plus beaux et des créateurs les plus inventifs de la capitale.

Hartmann

Singerstraße 8 (C2)
M° Stephansplatz
☎ 512 14 89
Mar.-ven. 10h-18h,
sam. 10h-17h.

Erich Hartmann est un opticien des plus attentionnés, doué d'un talent fou, qui fabrique à la main, en corne de bœuf et de buffle exclusivement, des lunettes, mais aussi des peignes, des barrettes, des bracelets, des boutons de manchette et de jolies brosses (75 €). Tous ces accessoires, que vous ne trouverez nulle part ailleurs, s'inscrivent dans la plus pure tradition des Ateliers viennois. Unique aussi, l'élégante déco de son magasin : beaucoup lui envient son parquet en bois, ses niches blanches, ses 5 m sous plafond et son escalier aux allures de chaire d'église.

R. Horn

Bräunerstraße 7 (C2)
M° Herrengasse
☎ 513 82 94
Lun.-ven. 10h-18h30,
sam. 10h-17h.

Leader dans l'art de travailler le cuir, Horn crée une multitude d'accessoires et d'articles pour le voyage, en veau grainé et en *scotchgrain* (un cuir anglais très résistant aux caprices de la météo), dont chaque détail, chaque finition obéit aux principes des Ateliers viennois. Son sac à dos tyrolien en loden et cuir est convertible en tout petit sac, ses *citybags* sont doublés de moiré de soie vert, et ses portefeuilles déclinés en cinq nuances fort subtiles (beige, jaune, rouge, vert foncé et ocre).

Elisabeth Krainer

Tuchlauben 17 (C2)
M° Stephansplatz
☎ 522 06 33
Lun.-ven. 10h-18h,
sam. 11h-17h.

Vous voyez la 1ère porte à droite dans la cour ? C'est celle de l'atelier d'Elisabeth, maître ès orfèvrerie – un art délicat s'il en est, qu'elle a mûri au Liechtenstein et aux îles Vierges. Ses bijoux sont si

tendres qu'on les mangerait ! D'ailleurs, dans l'étroite vitrine au fond, vous trouverez des bagues-cornets de glace, des boucles d'oreilles en forme de cerises à feuilles de jade ou de mûres à cabochons de rubis. À partir de 300 €.

Laks

Franzosengraben 7 (E4)
M° Erdberg (U3)
☎ 799 15 85
Lun.-jeu. 8h30-17h,
ven. 8h30-14h.

Lucas Alexander Karl Scheybal, alias « Laks », a la passion du design et de l'horlogerie. Pour le citadin moderne, il a mis au point une gamme de montres-bracelets à l'esthétique novatrice qu'il expose dans le cadre zen et translucide de son showroom viennois : des cadrans à phases de lune, de superbes chronographes, des modèles

odorants à roses blanches (93 €) et des séries limitées reproduisant *Le Baiser* ou le *Portrait d'Émilie Flöge* de Klimt. Superbe et original.

Ernst A. Haban

Kärntner Straße 16 (C3)
M° Stephansplatz
☎ 512 71 03
Lun.-sam. 10h-18h.

Des bijoux superbes et plutôt classiques, autrichiens pour la plupart, à des prix raisonnables. Jetez un coup d'œil sur ses boucles d'oreilles et ses petits cœurs en sautoir, d'une infinie délicatesse.

Schullin & Seitner

Kohlmarkt 7 (C2)
M° Herrengasse
☎ 533 90 07
Lun.-sam. 10h-18h.

Même si vous n'avez ni les moyens ni l'intention de craquer, accordez-vous quelques moments de rêve chez ce bijoutier qui travaille, avec une formidable précision, les métaux et les pierres précieuses selon des concepts contemporains. Il a fait appel, pour mettre en valeur ses créations, à l'architecte Hans Hollein (1982) : les formes pures de la façade, avec son arc-haché en bronze oxydé et ses globes-hublots, répondent parfaitement aux lignes claires et géométriques de la bague en platine, aiguemarine et saphir de Herbert Schullin ou de la broche *Opal* en or 16,09 carats.

Kecksilber

Trattnerhof 2 (C2)
M° Stephansplatz
☎ 513 56 64
Lun.-ven. 10h-18h,
sam. 10h-17h.
Le bijoutier Walter Keck joue dans une autre catégorie. Ce

magicien du métal, dont les créations sont moins chères mais presque aussi inventives que celles de Schullin, a bien saisi l'esprit du temps. Ses boucles d'oreilles, très originales (18 €) lui ont d'ailleurs assuré un vif succès auprès des intellos et des jeunes branchés. À ce prix-là, pas d'hésitation : offrez-vous un accessoire avec lequel, soyez-en sûr, vous ne passerez pas inaperçu dans les dîners en ville.

KITZ VIENNA

Qu'ils soient crème ou cognac, jaunes ou bleu ciel, les beaux sacs en cuir que dessine Susanne Kitz ont tous des noms qui rayonnent : *Capri, Rio, Luxor, Santorin...* Certains sont garnis de corne et de nacre, d'autres de coquillages. Pour un peu, on partirait en voyage rien que pour le plaisir de les porter ! Une valeur sûre de la maroquinerie, à partir de 70 €.

Weihburggasse 7 (C2),
☎ 512 86 48
Lun.-ven. 10h-18h,
sam. 10h-17h.

Lingerie et
bodywear

À en juger par le nombre de boutiques spécialisées au km^2, le chiffre des ventes et le succès des défilés, les Viennois semblent avoir une certaine prédilection pour les négligés de tulle fleuri, les déshabillés en soie et autres *Unterwäsche* de charme garnis de dentelle. À vous de trouver, du plus tendre au plus trash, ce rien de stretch et de mousseline qui saura s'accorder harmonieusement avec votre peau et avec son humeur…

Palmers

Kärntner Straße 22 (C3)
M° Stephansplatz
☎ 512 24 95
Lun.-ven. 9h30-19h,
sam. 9h30-18h.

Sur un mode un peu plus affriolant, mais sans excès, il y a bien sûr Palmers, chaîne omniprésente en Autriche, qui se veut la « gardienne des valeurs de la féminité classique ». Les trois points de vente, dans la Kärntner Straße, jouent la carte du glamour et du sensuel, avec des bas scintillants et des bustiers

de soie joliment ajourés de dentelle nacre, ambre, chair ou ivoire, que vous porterez sous une veste au décolleté savamment entrebâillé.

Huber

Singerstraße 5 (C2)
M° Stephansplatz
☎ 512 97 62
Lun.-ven. 9h30-18h30,
sam. 9h30-18h.

Une boutique sage, pour ne pas dire classique, qui donne la priorité au confort, avec toute une gamme de caleçons longs – indispensables à Vienne lorsque le thermomètre dégringole au-dessous de -8 °C – et de pyjamas à rayures qui ont le droit à un traitement spécial, non chloré et hypo-allergénique. Il y a aussi un rayon de bodywear, plus sportif avec des Skiny, des Hanro, et toutes sortes de gracieuses tenues très moulantes réservées à celles et ceux qui pratiquent assidûment l'aérobic.

Bipa

Hoher Markt 1 (C2)
M° Schwedenplatz
☎ 961 11 28
Lun.-ven. 8h05-19h30,
sam. 8h05-17h.

P2 est une filiale de Palmers, qui a lancé en 1998 une nouvelle génération de lingerie *lifestyle*, à des prix abordables, destinée à une clientèle jeune, extravertie et plutôt « mode ». Ses articles, subtil mélange de fitness et d'érotisme, jouent sur des effets de transparence calculés. Avec succès, puisque à peine exposés en rayons, ses stocks de *Luzifer inside* ont été pris d'assaut par les Viennois(es). Mais rassurez-vous : il reste encore,

chez Bipa, des bas invisibles en polyamide et élasthanne à 3,90 €, des débardeurs *tank top* et de ravissants *bra* (soutiens-gorge) à 9,90 €.

La petite boutique

Lindengasse 25 (B3)
M° Neubaugasse
☎ (0699) 1923 94 23
Mer.-ven. 12h-19h,
sam. 1h-17h.

Ouverte depuis 2006, cette échoppe est celle des nuits câlines : la jeune Sandra Gilles, native d'Annecy, diplômée d'Esmod et ancienne styliste de Palmers, y vend à partir de

80 € de charmantes chemises de nuit qu'elle coupe de ses doigts de fée et qui collent en douceur à la peau comme la fine batiste de nos grands-mères. Vous ne les trouverez nulle part ailleurs : chacune de ces nuisettes est une pièce unique, ou déclinée en 4 exemplaires maxi.

Tiberius

Lindengasse 2 (B3)
M° MuseumsQuartier
☎ 522 04 74
Lun.-ven. 12h-19h,
sam. 11h-18h.

Si tous les froufrous des magasins précédents vous laissent de marbre, essayez Tiberius. Au chapitre des extravagances, il est le spécialiste du latex, du Skaï et du cuir, qu'il coupe lui-même, à vos mesures, pour vous

habiller de la tête aux pieds, dans la bonne vieille tradition, sans doute, des culottes de peau tyroliennes. Certes, il y a beaucoup de lacets à défaire, mais après tout, qu'importe le look, pourvu qu'il soit total…

Wolford

Kärntnerstrasse 29 (C2)
M° Stephansplatz
☎ 535 99 00
Lun.-ven. 9h30-18h30,
sam. 9h30-18h.

Bonne nouvelle pour les globe-trotteuses : cette célèbre firme autrichienne, fondée en 1949 sur les berges du lac de Constance, vient de lancer une collection de collants hyperconfortables, sans élastique à la taille, spécialement étudiés pour la position assise dans les vols long-courriers. C'est élégant, invisible et ça vous active la circulation sanguine. Pour vous donner des ailes, Wolford a aussi concocté des bas *logic*, déclinés en dix-huit teintes, et des *panties* très glamour, à reflets mats ou veloutés (*lace*).

Trachten :
la mode « country »

Les costumes traditionnels (*Trachten*) auxquels les Autrichiens sont toujours très attachés n'ont rien de folklorique. Ce sont des tenues confortables et tout-terrain, que vous pourrez porter par petites touches, à la gentleman-farmer, à condition toutefois de ne pas abuser des pompons, des clochettes et des rubans de satin vert. Évitez aussi d'associer un polo Lacoste à une culotte de cuir : vous frôleriez l'incident diplomatique.

Tostmann

Schottengasse 3a (B2)
M° Schottentor
☎ 533 53 31
Lun.-ven. 10h-18h,
sam. 9h30-18h.

Dans cette boutique bien sage, qui sent bon la cire et la prairie, avec son parquet de bois blond et ses meubles peints, les *Trachten* sont authentiques et très attendrissants. Les familles entières viennent s'y habiller de pied en cap : il y a des brassées de robes fraîches et pimpantes (365 €), des tabliers et des plastrons fleuris pour jeunes filles aux longues tresses qui voudraient se faire un look « Heidi », des capes

en flanelle de laine, des boléros en velours et des gilets pour homme à col brodé (180 €). Plus bucolique, tu meurs…

Loden Plankl

Michaelerplatz 6 (C2)
M° Herrengasse
☎ 533 80 32
Lun.-sam. 10h-18h.

Vous ne pouvez pas le rater : cet expert en chaussures et costumes traditionnels a investi le pâté de maisons situé juste en face de la Hofburg pour y exposer un festival de manteaux en loden vert (à partir de 420 €), de chaussettes tricotées, brodées d'edelweiss sur le côté (entre 30 et 40 € selon la longueur et les motifs) et de chemisiers que l'on porte encore, dans les alpages, avec quelques grigris en sautoir (cristal de roche, boutoir de sanglier, patte d'écureuil).

Giesswein

**Ringstraßen-Galerien
Kärntner Ring 5-7 (C3)
M° Karlsplatz
☎ 01 512 45 97
Lun.-ven. 10h-18h,
sam. 10h-17h.**

Vous voudriez vous essayer à l'*austrian look* sans verser dans le boléro en chamois et le tailleur en loden ? Faites un saut chez Giesswein ! Ce créateur tyrolien, bien connu pour la qualité de ses vestes et manteaux traditionnels (Stückwalker, Sarner Janker…), s'y entend à merveille pour confectionner des robes fraîches et sympathiques, rehaussées de tweed ou de shetland.

Eduard Kettner

**Plankengasse 7 (C2)
M° Stephansplatz
☎ 513 22 39
Lun.-ven. 9h30-18h30,
sam. 9h30-17h.**

Un spécialiste du look « chasse et randonnée », à consulter surtout pour ses vestes très automnales en daim, ornées d'une feuille de chêne au revers.

Mothwurf

**Kärntnerstraße 19 (C3)
M° Stephansplatz
☎ 513 14 42.**

C'est vrai : le 2ᵉ étage du grand magasin Steffl a perdu Habsburg, la griffe très aristocratique que Schneiders avait lancée en 1992 avec le parrainage de Francesca von Habsburg. Mais tout n'est pas perdu pour autant : à la place, on trouve maintenant deux créateurs de Graz, Stefanie et Helmut Schramke, qui s'entendent à merveille dans l'art de réinterpréter la mode traditionnelle. Leur collection du printemps dernier (Alegria) est néoromantique en diable, pleine de jolies coupes, d'émotion et de détails insolites. Comptez 489 € pour une veste verte très couture.

Lanz

**Kärntner Straße 10 (C2)
M° Stephansplatz
☎ 512 24 56
Lun.-ven. 10h-18h30,
sam. 10h-18h.**

Autre temple de l'*austrian look*, Lanz crée depuis 1922 des modèles moins glamour que Habsburg mais tout aussi respectueux de la tradition. Il reprend des motifs paysans, puise dans le répertoire des bruns, anthracite, vert chasse et, pour coller à l'air du temps, affine la silhouette

et estompe les épaules. Un style décontracté qui se conjugue sur le mode des « trois L » : *Loden, Leinen, Leder* (loden, lin et cuir).

Sportalm

**Brandstätte 7-9 (C1)
M° Stephansplatz
☎ 535 52 89
Lun.-ven. 10h-18h30,
sam. 10h-17h.**

Ce couturier de Kitzbühel joue dans une autre catégorie, le vrai-faux *Trachten*. Pour mieux adapter le costume à notre mode de vie citadin, il choisit des matières nouvelles qu'il applique à des formes plus conventionnelles, directement inspirées des *Joppe* (vestes) et des *Janker* (manteaux) des bergers tyroliens. Résultat : un *crossdressing* bon chic bon genre, tout en gris, crème et écru, idéal pour une soirée… décalée.

LODEN

Même s'ils sont aujourd'hui tissés en laine de mérinos, les amples manteaux qui permettaient aux bergers tyroliens de marcher à belles enjambées ont conservé leurs qualités isolantes. Le loden en effet est une laine imperméable aux intempéries parce qu'elle n'est pas dessuintée. Les fabricants distinguent quatre qualités de loden en fonction du tissage et de la rugosité : *Tuch, Sämisch, Doubleface* et *Strichloden*.

Chaussure
à son pied

Où l'on découvrira que Vienne ne fait pas que dans le godillot de randonnée ou le sabot spécial neige. Pour fendre les foules sans vaciller ou jouer les Cendrillon au palais Ferstel, les chausseurs conçoivent, de père en fils, des modèles de bottes en chevreau, de ravissants escarpins et des richelieus en cuir de Russie, traités à l'huile de bouleau, dont la ligne parfaite et le confort maximal devraient réjouir les sportifs comme les bêtes de mode.

Görtz

Gerngross City-Center (B3)
Mariahilferstrasse 38-48, M°
Neubaugasse ☎ 522 48 83
Lun.-mer. 10h-19h, jeu.-ven.
10h-20h, sam. 10h-18h.
Voici, au 1er étage du grand magasin Gerngross, un espace accueillant où vous pourrez essayer en toute tranquillité une impeccable sélection de chaussures qui ont un petit air couture et vous feront la cheville fine et le pied léger. Entre

une ballerine *Akira* à 39 € et une paire de *Belmondo* à bout carré (99 €), rien que des valeurs sûres dont vous ne vous lasserez pas, signées Cox, Rautureau...

Dominici

Singerstraße 2 (C2)
M° Stephansplatz
☎ 513 45 41
Lun.-ven. 10h-19h.

Dominici s'est mis en tête de soigner votre look urbain à coups de derbys noirs et de bottines en velours violet. Son choix de chaussures, qui conjugue sophistication et bien-être, devrait donc vous permettre de trotter avec la même aisance sur les trottoirs du Ring qu'au cocktail de l'Opéra. Comptez 99 € pour une paire de Walter Bauer ou de Dominici uomo.

Ludwig Reiter

Führichgasse 6
M° Stephansplatz (C2)
☎ 512 61 46
Lun.-ven. 10h-18h30,
sam. 10h-17h.

C'est l'un des meilleurs
chausseurs de Vienne. Connu
depuis 1885 pour son savoir-
faire, ses doubles coutures, ses
cirages maison et l'excellente
qualité de ses cuirs, Reiter
peaufine avec amour des
modèles traditionnels – *Wiener,*
Theresianer, etc. – et de
solides bottillons pour l'hiver :
ses douillettes *Maronibrater*,
idéales pour les sorties en
traîneau dans les alpages, sont
si smart, avec leur cuir fourré
couleur cognac ou moka, que
rien ne nous empêche de les
porter lors d'une première
au Burgtheater. Bien sûr,

tout cela se mérite, mais
l'espérance de vie d'une paire
de *Gustav Mahler* ou de *Pater*
Brown dépasse nettement les
dix ans. Autre point de vente :
Mölkersteig 1, M° Schottentor,
☎ 533 42 04 22
(mêmes horaires).

Humanic

Mariahilfer Straße 1b (B3)
M° MuseumsQuartier
☎ 585 23 40
Lun.-mer. 9h30-19h,
jeu.-ven. 9h30-20h.

Impossible de ne pas trouver
chaussure à son pied dans cet

espace « designé » par Boris
Pedrecca : baskets, mocassins,
low boots, santiags, tennis
et bottes de toutes marques
s'arrachent le moindre m^2 en
conciliant prix raisonnables
et tendances de la mode.
Pour les sportifs et les juniors
qui auraient subitement décidé
de s'entraîner sur l'asphalte
de Mariahilf.

Gerald Fischer

Liechtensteinstraße 29 (B1)
M° Schottentor
☎ 317 91 28
Lun.-mar., jeu.-ven. 9h-13h
et 14h-18h, sam. 9h-12h.

Autre quartier, autre
chausseur. Sur mesure celui-
ci. Champion de la demi-
pointure, de l'entretien et du
glaçage, Fischer vous remet
à neuf la plus défraîchie des
mules et peut réaliser la paire
de vos rêves d'après une simple
photo (450-500 €). Dans le
cuir et avec la couture de votre
choix, cela s'entend.

Zak

Kärntner Straße 36 (C3)
M° Stephansplatz
☎ 512 72 57
Lun.-ven. 9h30-18h30,
sam. 10h-17h.

Avec un égal talent pour le
choix des cuirs et la perfection
du détail, cette entreprise
familiale, qui a déjà chaussé,
depuis 1912, quatre générations
de Viennois, présente dans son
salon néo-Jugendstil de très
élégants modèles. Pour dame,

des créations de Casadei, Sergio
Rossi, Pollini et autres Italiens
triés sur le volet. Pour homme,
des souliers classiques, faits
maison, comme l'escarpin de
bal laqué noir et cousu main,
l'indémodable *Norweger* ou
la *Budapester* à 450-480 €,
qui « marche » encore très
fort, elle aussi.

R. Scheer und Söhne

Bräunerstraße 4 (C2)
M° Stephansplatz
☎ 533 80 84
Lun.-ven. 9h-18h,
sam. 10h-17h.

Cet ancien fournisseur de la
Cour, médaillé à l'Exposition
universelle de 1873, découpe,
rogne, coud à la main dans la
vieille tradition impériale et
royale des bottes qui s'enfilent
comme des gants, vous gainent
la jambe tout en soulignant
la cambrure de votre pied et
se patinent bien avec le temps.
De la chaussure considérée
comme un des beaux-arts.

PETIT LEXIQUE DU SOULIER VIENNOIS

Une *Theresianer* est une chaussure fuselée à bout rond.
La *Franziskaner* a le bout carré et porte une boucle sur
le côté. La *Norweger* est renforcée d'une couture au
bout. La *Wiener* se distingue par ses quartiers à petits
trous, tandis que la *Budapester* a le bout fleuri contenu
dans un liséré en accolade. Enfin, l'*Innsbrucker Sohle*,
idéale pour garder le pied ferme sur le verglas, est une
semelle crantée qui ne charrie ni la neige ni les graviers.

Le coin des
enfants

Knickers et loden obligent, la mode enfant est relativement sage en Autriche. Vienne réserve néanmoins aux kids délurés qui sont déjà des tombeurs dans l'âme et à toutes celles qui sont déjà du genre « au secours je n'ai rien à me mettre » quelques bonnes surprises. Vos charmants bambins n'y retrouveront peut-être pas leurs marques préférées, mais les chemisettes et les parkas que vous leur rapporterez ont des chances de faire des envieux dans les cours de récré.

Sonnenschein

Neubaugasse 53 (B3)
M° Neubaugasse
☎ 524 17 66
Lun.-ven. 10h-18h30,
sam. 10h-17h.
Même si vous n'avez plus de place dans vos bagages, faites un saut jusqu'au royaume enchanté de Monika Liptakova : il fourmille d'idées cadeaux, conçues avec talent par des artistes tchèques, pour décorer à petits prix une chambre d'enfant. Au choix : des sacs à dos et des coussins rigolos, des soleils mobiles, des girafes porte-

crayons et des mini théâtres de marionnettes aimantées

(14 €) qui leur permettront de jouer à la princesse ou aux indiens. On adore !

Mimi

Krugerstraße 10 (C3)
M° Stephansplatz
☎ 512 43 18
Lun.-ven. 9h30-18h,
sam. 9h30-17h.
Pour bébés et juniors, une ligne de vêtements bien conçus, rehaussés d'une touche de fantaisie, par une designer milanaise qui privilégie le confort et les formes plutôt classiques. Cela va du polo vert Écosse 2 ans à la veste molletonnée, idéale en cas de frimas, en passant par l'adorable robette rose à fleurs jaunes à 99 €.

Taki-To

Petersplatz 8 (C2)
M° Stephansplatz
☎ 535 18 23
Lun.-sam. 10h-18h.

Le créateur viennois Taki To a imaginé, pour les jours de fête

les grandes occasions, une
anoplie complète de vestes
de tuniques de rêve, quasi
aute couture, ponctuée
noeuds et de quelques
ccessoires, dans les tons or,
un, orange ou rouille. Pour
coquettes : un mantelet
brandebourgs, assorti d'un
anchon en peluche et
scose. Pour le printemps :
costume en organza et
ie, aussi léger que le parfum
une rose.

pielzeugschachtel

auhensteingasse 5 (C2)
1° Stephansplatz
512 44 94
un.-ven. 10h-18h30,
am. 10h-17h.

ien que ce soient les parents
ui semblent y prendre le plus
e plaisir, ce magasin de jouets
st destiné aux enfants. Il faut
re que Spielzeugschachtel
banni le plastique, les
alachnikovs, les monstres
les jeux violents pour ne
endre que de superbes objets
n bois qui développent
logique, l'adresse et
observation. Également
n rayon : des peluches, des
narionnettes, la collection
omplète des puzzles
avensburger, une giga girafe
construire et un large choix
'accessoires « selecta » pour
neubler la fermette ou la
naison de poupée (12 €).

Kober

Graben 14-15 (C2)
M° Stephansplatz
☎ 533 60 18
Lun.-jeu. 9h15-18h30, ven.
9h15-19h, sam. 9h30-18h.

Rien de tel qu'une visite
chez Kober pour raviver des
nostalgies enfantines. Cet
étroit magasin, fondé en 1868,
explose littéralement sous les
bataillons de soldats de plomb,
de jeux de société, de peluches
de Steiff et de maquettes. En
vedette, la gamme d'articles
aux couleurs du petit dragon
vert Tabaluga, héros d'une
série télévisée allemande, et les
trains électriques autrichiens
signés Fleischmann avec leurs
nombreux accessoires.

Popolino

Barnabitengasse 3 (B3)
M° Neubaugasse
☎ 501 32 00
Lun.-ven. 10h-18h,
sam. 10h-17h.

Une boutique ni trop chère ni
trop excentrée, où tous ceux
qui refusent d'habiller leurs
rejetons en bleu lavande ou

rose layette pourront trouver
un monceau de vêtements
attendrissants en fibres
naturelles importés de Suisse
(Selana) : des pulls orange,
rouille et coquelicot, des
chapeaux « Dolli von Döll »
(15 €) et d'adorables bonnets
pseudo-péruviens pour
protéger leurs petites oreilles.

Schuhhaus zur Oper

Tegetthoffstraße 5 (C3)
M° Stephansplatz
☎ 513 50 50
Lun.-sam. 9h30-18h.

À deux pas de l'Opéra, un
large éventail de chaussures
signées Elefanten, Naturino,
Giesswein, etc., destinées aux
petits pieds douillets. Des
modèles rigolos, tout-terrain,
antichocs, antidérapants,
ultralégers et superflexibles
(entre 58 et 75 € selon
la taille), et d'autres plus
classiques, tout en rondeurs
et en laine foulée, pour
les petits pantouflards qui
tiennent déjà à leur confort.

ZOOM

Dans la série « que
faire pour distraire
les enfants ? », il y a
bien sûr le théâtre
de marionnettes du
château de Schönbrunn
qui propose plusieurs
spectacles de mai à
octobre, à partir de 8 €
(☎ 817 32 47, www.
marionnettentheater.at).
Mais il y a moins loin
et tout aussi rigolo : la

« maison des papillons » située juste derrière l'Albertina
(Schmetterlinghaus, Burggarten, ☎ 533 85 70, ouv. lun.-
ven. 10h-16h45 ; sam.-dim. 10h-18h45). Pour les juniors
qui sont las de courir les serres et les châteaux, essayez le
Zoom au MuseumsQuartier (M° MuseumsQuartier, cour
n° 2, ☎ 524 79 08, www.kindermuseum.at). Ce centre
interactif offre un programme attrayant d'expositions
et d'animations aux 4-12 ans, avec des ateliers peinture,
dessins animés... 5 € par enfant. Réservez !

Décoration d'intérieur
et arts de la table

Vous n'avez d'yeux que pour les compotiers Jugendstil, la porcelaine Marie-Thérèse et les petites consoles Biedermeier en bois fruitier ? Vous ne rêvez que de rangements modulaires, de cafetières high-tech et autres gadgets capables de transformer votre kitchenette en cabine de pilotage ? Meubles cossus ou ustensiles fonctionnels : voici quelques adresses où vous pourrez glaner le meilleur de l'art de vivre à la viennoise.

Luminaires

Woka

Singerstraße 16 (C2)
M° Stephansplatz
☎ 513 29 12
www.woka.com
Lun.-ven. 10h-18h,
sam. 10h-17h.

Wolfgang Karolinsky, alias « Woka », a eu la bonne idée de racheter dans les anciennes manufactures de la monarchie autrichienne toutes les machines qui servaient à fabriquer, jusqu'en 1932,

les incomparables lampes de Josef Hoffmann et d'Otto Wagner, pour les rééditer fidèlement, en laiton massif,

nickelé ou laqué blanc. À côté de ces modèles, qui n'ont pas pris une ride, sont exposées de séduisantes créations de designers contemporains comme Matteo Thun ou Harry Glüc www.woka.com

Nanu

Josefstädterer Straße 44
M° Rathaus (B2)
☎ 406 25 28
Lun.-ven. 10h-18h,
sam. 10h-16h.

Pour y voir plus clair, Gernot Manske et Walter Pangerl ont mis au point un système d'éclairage prodigieusement sobre, le Cubic, dont les abat-jour déclinés en différents matériaux (soie, papier, verre, aluminium ou laiton) et dans divers coloris devraient donner une touche futuriste et industrielle à votre futur lof

Design

Wittmann

Friedrichstraße 10 (C3)
M° Karlsplatz
☎ 585 77 25
Lun.-ven. 10h-18h30,
sam. 10h-17h

Vous ne connaissez pas le
rocking-chair de Friedrich
Kiesler ? À deux pas de la
Sécession, les Wittmann
ont ouvert un showroom
où les designers autrichiens
figurent en très bonne
place. L'occasion de faire
connaissance avec le fauteuil
K04 d'Adolf Krischanitz,
qui est prof aux Beaux-Arts
de Berlin, et avec le sofa
Materassi de Matteo Thun
qui a son cabinet d'archi à
Milan. C'est classe, fait main
et hyper soigné. Catalogue des
rééditions et des nouveautés
sur www.wittmann.at

Prodomo

Flaglergasse 29 (C2)
M° Herrengasse
☎ 533 83 82
Mar.-ven. 10h-18h30,
sam. 10h-17h.

Autant vous prévenir tout de
suite : vous risquez de ne pas
ressortir les mains vides de
cet excellent magasin
où Hartmann Henn fait

régulièrement le point sur
l'éclosion créatrice de ces
dernières années en matière
de meubles et d'accessoires
pour la maison. Tout y
est irrésistible, de la mini-
chaise pour enfants Arne
Jacobsen (332 €) à la table
transparente Jolly (85 €),
en passant par les multiples
gadgets chic spécialement
conçus pour les branchés qui
ne se prennent pas au sérieux.

Quas

Gumpendorfer Straße 16
M° MuseumsQuartier (B3)
☎ 586 23 56
Lun.-ven. 10h-18h30,
sam. 10h-16h.

Les Quas se sont lancés, eux
aussi, à la conquête de l'espace
avec, pour seul axiome, le

souci de l'élégance et de
l'harmonie. Leur showroom
réunit, sur fond de musique
de chambre, des tissus
d'ameublement (Sahco,
Zimmer+ Rohde), des coffres
aux lignes très épurées
et de superbes penderies
translucides signées Dell'Orto
& Cattaneo, l'un des musts de
la collection Poliform, dont
le but avoué est de catapulter
votre appartement dans le
troisième millénaire. Bien sûr,
ça se mérite (comptez 435 €
pour une chaise en érable et
2 900 € pour une vitrine).

Arts de la table

Haardt & Krüger

Schottengasse 3a (B2)
M° Schottentor
☎ 533 73 29
Lun.-ven. 9h30-18h,
sam. 9h30-17h.

Bien que ce magasin ait
ouvert ses portes en 1875,
il n'en est pas moins au top
pour les pros des fourneaux
comme pour les abonnés
aux listes de mariage.
À côté de quelques articles
typiquement autrichiens
(les fameux verres à vin
Riedel, par exemple), vous y
trouverez des couverts Alessi,
des assiettes plutôt cocasses
signées Emilio Bergamin,

un couteau Pott à découper le parmesan (88 €), ainsi qu'une toute nouvelle génération de cuillères hyper pratiques avec anneau au bout, les *Rösle*.

Blaulicht Vis-à-Vis

Marc-Aurel-Straße 3 (C2)
M° Schwedenplatz
☎ 532 41 36
Lun.-ven. 10h-19h,
sam. 10h-18h.

Pour les mordus des arts de la table, la chasse aux bons plans passe par ce magasin qui, mine de rien, vend plein de choses auxquelles on ne pense pas toujours : des sets de coupelles en céramique spécial apéritif (27 €), des mazagrans à motifs japonisants, des jardinets zen que vous pourrez placer en milieu de table à l'heure du thé… Ils ont même prévu le mini râteau pour tracer les sillons dans le sable blanc !

Swarovski

Kärntner Straße 8 (C2)
M° Stephansdom
☎ 512 90 32
Lun.-ven. 10h-19h,
sam. 10h-18h.
Comme l'Autrichien Swarovski (p. 19) a l'habitude de confier à des designers et des stylistes le soin de concevoir ses bijoux et ses parures de table, on voit sortir chaque année de ses ateliers tyroliens de

scintillantes pampilles – qui iront consteller les prochaines robes de Vivienne Westwood – mais aussi de sublimes cristaux, tel le tout nouveau « vase coquillage » conçu par Darko Mladenovic. Un pur objet d'art.

Grüne Erde

Mariahilfer Straße 11 (B3)
M° MuseumsQuartier
☎ (07615) 20 3410
Lun.-mer. 10h-19h,
jeu. 10h-20h, sam. 10h-18h.
Terre Verte, en v.f., est une entreprise de Haute-Autriche, qui a le souci de l'écologie et de votre cadre de vie. Son comptoir viennois réunit avec bonheur toutes sortes d'articles naturels, simples mais jamais ennuyeux, pour mettre les petits plats dans les grands ou pique-niquer au jardin : sets en lin, carafes, saladiers, céramique à décor d'olives (Settimo) ou vaisselle bleu tendre de Caldas da Rainha. Printanier.

Kunst & Kram

Hoher Markt 3 (C2)
M° Stephansplatz
☎ 535 96 52
Lun.-ven. 10h-18h30,
sam. 10h-16h.
Pour personnaliser votre pied-à-terre, Karin Kecht surfe entre le design original et les objets sans frontières : elle vous a concocté un joyeux pêle-mêle de couverts en argent garantis jusqu'en 2021 et de petites bougies de l'atelier viennois Castanetti. Chassez le décor, il revient au galop…

SERVICES HONGROIS

Parmi les porcelaines que vous découvrirez ici, beaucoup proviennent de manufactures hongroises, comme la *Herend* ou la *Zsolnay*. La première, fondée en 1813, est la plus fine. Ses roses s'inspirent de Meissen et de Sèvres. La seconde (1851), à fond ivoire, a perdu un peu de la grâce qu'elle avait du temps de l'Art nouveau, mais ses tirages anciens, limités, sont séduisants. La *Hollóháza*, quant à elle, se reconnaît à ses petites fleurs vertes sur fond blanc.

Verre et porcelaine

Lobmeyr

Kärntner Straße 26 (C3)
M° Stephansplatz
☎ 512 05 08
Lun.-ven. 10h-19h,
sam. 10h-18h.

Sur les invisibles étagères de cette illustre maison fondée en 1823, les flûtes en cristal les plus raffinées de la capitale côtoient de délicates porcelaines de Herend peintes à la main (entre 30 et 220 €) et des rééditions de pièces anciennes, comme la carafe dessinée par Adolf Loos en 1929 (950 €). Au palmarès des coups de cœur et des best-sellers : le service *Musselinglas* créé en 1856, les *Ballerina* 1992 de Paul Wieser et la série en bronzite conçue par Josef Hoffmann en 1912 (170 € le verre à liqueur).

Augarten

Stock im Eisen-Platz 3 (C2)
M° Stephansplatz
☎ 512 14 94
Lun.-ven. 10h-18h30,
sam. 10h-18h.

Vous ne pouvez pas vous tromper : Augarten est la Rolls de la porcelaine autrichienne. Après le succès des *Maria-Theresia* à motifs verts (166 € l'assiette plate) et des *Wiener Rose* à liseré vert, la manufacture vient de lancer

deux services néoclassiques de 33 pièces chacun, indispensables pour faire dînette au château : l'*Elisabeth*, reprise du service qu'utilisait l'empereur Ferdinand, et le *Courage*, à griffons rouges sur fond noir. À laver avec précaution car la glaçure d'or est un peu fragile…

Accessoires

Interio

Ringstraßen-Galerien (C3)
Kärntner Ring 5-7
M° Karlsplatz
☎ 513 99 36
Lun.-ven. 9h-19h30,
sam. 9h-18h.

Pour que votre studio devienne enfin vivable à petits prix, Interio a inventé une ligne complète de meubles modernes, fonctionnels et simples, à mi-chemin entre Habitat, Conran et Ikea. On y trouve des voilages, des tapis de sisal, de jolis coussins « safari » rayés d'un camïeu de verts (9,90 €) et, *last but not least*, un fauteuil de jardin en polypropylène à 99 €. On croit rêver !

Thonet

Hegelgasse 11 (C3)
M° Stadtpark
☎ 310 20 02
Lun.-ven. 10h-18h.

À la fin du XIXe s., toute l'Europe faisait la queue

chez les frères Thonet pour s'acheter un rocking-chair ou une chaise longue en hêtre courbé à la vapeur. La fameuse *chaise n° 14*, qui a connu une carrière fulgurante – 45 millions d'exemplaires vendus entre 1859 et 1900 – est toujours là, au côté d'autres « machines à s'asseoir » (260 €), de consoles, de tables et de vitrines en bois de myrte. Profitez-en pour rapporter un tabouret de bar ou un portemanteau de café viennois : émeute garantie dans l'avion du retour !

Herbert Born

Köllnerhofgasse 4 (C2)
M° Schwedenplatz
☎ 512 99 95
Lun.-ven. 10h-13h et 14h-18h.

Derrière cette façade édifiée à la fin du XVIIIe s. dans le goût très sobre qu'affectionnait Joseph II se cache un vrai filon pour celles et ceux qui cherchent à restaurer leur maison de campagne ou leur vieille commode : M. Born, fondeur à Grieskirchen, y vend 700 modèles de poignées de porte, fenêtre et tiroir, de patères et de tringles à rideaux, le tout dans le style de votre choix. Alors, baroque ou Sécession ?

Antiquités
et objets de collection

Inutile de courir tout Vienne pour mettre la main sur un bouclier ottoman ou un carafon Art déco : les antiquaires se sont regroupés dans deux ou trois rues autour du Dorotheum, entre la Spiegelgasse et la Bräunerstraße. Il vous suffira donc d'arpenter cette petite citadelle – assez fermée de prime abord – pour y entrevoir de fabuleux trésors. Si les prix ou l'humeur, parfois revêche, du vendeur vous intimident, chinez plutôt du côté du Fleischmarkt et de la Wollzeile.

Alfred Kolhammer

Dorotheergasse 15 (C2)
M° Stephansplatz
☎ 513 20 63
Lun.-ven. 10h-18h,
sam. 10h-13h.

Cet antiquaire, réputé pour son professionnalisme, donne plutôt dans le grand format et le registre onéreux. Ses madones salzbourgeoises en pin, datant du début du XVIIIe s., sont aussi encombrantes qu'inestimables. Mais pour les budgets serrés et les appartements exigus, il a tout de même quelques peintures

naïves et de ravissants meubl[es] rustiques en bois peint.

Bauernfeind

Dorotheergasse 9 (C2)
M° Stephansplatz
☎ 513 10 20
Lun.-ven. 10h-19h,
sam. 11h-17h.

Bauernfeind n'est pas de ceux qui se contentent d'aligner de[s] enfilades de fauteuils Voltaire ou de commodes Biedermeier dans une galerie chic. Derrière la façade baroque de l'ancien palais Starhemberg (1702), il vise l'œuvre d'art. Tous ses objets, toujours choisis avec un goût très sûr, portent d'ailleurs un cartel, comme dans un musée.

E. M. Mautner

Herrengasse 2 (C2)
M° Herrengasse
☎ 533 12 24
Lun.-ven. 10h-18h,
sam. 10h-13h.

La capitale autrichienne, qu[i] fut longtemps une plaque tournante du marché de

art en provenance d'Europe
entrale et de l'ex-Union
oviétique, a vu transiter
e nombreuses œuvres dont
es experts ont parfois mis
n doute l'authenticité.
Mais ici, soyez tranquille :
es charmants tableautins
ui tapissent les murs
e Melich Mautner sont de
raies icônes russes du XIXe s.
partir de 1 000 €.

Glasfabrik

orenz Mandlgasse 25 (HP)
M° Kendlerstraße
☎ 494 34 90
Mar.-ven. 14h-19h,
am. 10h-14h.

a chasse au bibelot de
ollection passe aussi par la
Glasfabrik dont l'entrepôt de
000 m² est situé à 4 stations
e métro de la Westbahnhof
U3). C'est un peu loin
mais les amateurs qui se
amèneraient pour un bock ou un
accarat ou un bouchon de
arafe y trouveront, à des prix
ncore accessibles, toutes sortes
'objets décoratifs et mobiliers
es années 1670 à 1970.

Wissenschaftliches Kabinett

piegelgasse 23 (C2)
M° Stephansplatz
☎ 512 41 26
un.-jeu. 13h-18h,
ren. 10h-13h et 15h-18h,
am. 12h-17h.

'est le seul antiquaire
iennois qui ait pris le parti
'explorer l'univers complexe
es instruments astronomiques
t chirurgicaux. Les objets
e collection, exposés dans
es 15 m² de sa boutique très
pécialisée, ne sont donc pas
es bibelots à proprement
arler, mais les sextants,
es télescopes, des fioles
'apothicaire et de vieux
istouris qui ont peut-être
éjà servi.

Galerie am Lobkowitz-Platz

Lobkowitz-Platz 3 (C3)
M° Stephansplatz
☎ 512 13 38
Lun.-ven. 10h-12h et sur r.-v.

Chez Ursula Farda, les ferrures
et peintures XVIIIe s. voisinent
très habilement avec des
ailes d'anges en bois doré et
des tableaux de paysagistes
viennois comme Leopold
Voscher (1830-1877), dont
la cote a aujourd'hui le vent
en poupe. Une sélection
rigoureuse qui lui vaut une
place très honorable au hit-
parade des marchands d'art.

Hüttler

Himmelpfortgasse 19 (C3)
M° Stephansplatz
☎ 513 12 29
Lun. 14h-18h,
mar.-ven. 10h-13h
et 14h-18h, sam. 10h-13h.

Vous cherchez une pendule
en bois marqueté ou
une Breitling *navitimer
cosmonaut* de 1961 ?
Essayez Hüttler. Le monsieur
qui tient les rênes de cet
atelier fondé en 1750 est lui
aussi un passionné de belles
mécaniques. Sur ses étagères
sont réunis, selon l'arrivage, de
délicats tic-tac de l'Empire et
de robustes horloges françaises
de la fin du XIXe s., destinées

au marché russe, avec
indication du jour et du mois
en cyrillique. Exotique !

Chronothek

Bräunerstraße 8 (C2)
M° Stephansplatz
☎ 532 05 49
Lun.-ven. 10h-18h,
sam. 11h-16h.

À tous ceux qui éprouvent une
furieuse envie de dépenser tous
leurs euros dans une montre
ancienne, Chronothek propose
une sélection haut de gamme
de superbes chronographes,
comme l'*IWC Porsche Design
Sportivo* ou l'*Aston Martin
Amvox*, objet de bien des
convoitises (25 500 €).

Reinhold Hofstätter

Bräunerstraße 12 (C2)
M° Stephansplatz
☎ 533 50 69
Lun.-ven. 10h-18h,
sam. 10h-13h.

Depuis 1954, M. Hofstätter
engrange dans son élégante
galerie des chandeliers à
cariatide, un florilège de
petits maîtres flamands et
d'exquises statues de l'école
du Danube… Le printemps
dernier, il avait même en
réserve de quoi faire pâlir
d'envie les fanas de baroque :
un tableautin de Maulbertsch
(voir p. 27) représentant le
martyre de saint Jude !
Hors du commun.

Meubles et
objets d'ailleurs

Histoire de ne pas faire mentir le vieux dicton qui veut que Vienne soit aux portes de l'Orient, certains aventuriers trouvent encore le temps de fouiner hors des frontières de l'Autriche et de rapporter dans leurs comptoirs laques et coussins, saris et batiks, kilims anatoliens et colliers du Haut-Atlas : tout ce qu'il vous faut, au fond, pour donner une touche exotique à votre appartement et vous métamorphoser en Schéhérazade.

India

Strobelgasse 2 (C2)
M° Stephansplatz
☎ 512 51 96
Lun.-ven. 10h-18h,
sam. 10h-17h.

Une matinée ne suffirait pas à fouiller dans les gros containers en métal que le maître des lieux, Pravin K. Cherkoori, remplit de rouleaux de tissu (de 30 à 160 € le m) frappés au sigle de l'Inde : une débauche d'organza, de brocart et de cachemire qui donnerait aux cadres les plus blasés l'envie de se faire sur-le-champ un look maharadjah de Jaipur. Ce n'est pas discret à proprement parler, mais il y a aussi, sur les portants, de beaux caftans brodés et de superbes manteaux coupés dans du taffetas prune.

Adil Besim

Graben 30 (C2)
M° Stephansplatz
☎ 533 09 10
Lun.-ven. 9h30-18h,
sam. 10h-17h.

Un petit tour d'ascenseur et vous voici transporté dans l'antre du meilleur marchand de tapis de toute l'Autriche. Ferdi Besim y fait voler ses fabuleux modèles – il en a plus de 10 000 – avec une dextérité ébouriffante. Il prend son temps pour combiner les couleurs, expliquer l'origine des motifs et la nature du point. Les exemplaires les plus recherchés tournent autour de 36 000 €, mais vous pouvez aussi jeter votre dévolu sur un adorable *heriz bachschayesch* or et vert à 580 €. Et pour les branchés qui auraient décidé de ne marcher que sur du moderne, il y a les créations intemporelles en laine du Tibet stylisées par Stephanie Odegard.

Morton's Art Palace

Lindengasse 39 (B3)
M° Neubaugasse
☎ 585 31 15
Lun.-ven. 11h-18h30,
sam. 11h-17h.

C'est la devanture la plus
asiatique de Vienne et une
vraie mine d'idées pour la
déco ! On y trouve des tables
façon « fumerie d'opium »,
des étagères en teck ou bois de
rose, et toutes sortes d'articles
traditionnels que Reinhard
Mayer, le propriétaire, chine
aux quatre coins de la
Thaïlande et de l'Indonésie.

Living Vienna

Franziskanerplatz 6 (C2)
M° Stephansplatz
☎ 512 54 19
Lun.-ven. 10h30-18h30,
sam. 10h30-18h.

Quand Caterina et Matthias
Dorbath désertent Vienne,

c'est pour parcourir le Laos
ou la Birmanie et se mettre
en quête d'une armoire de
mariage ou d'un cabinet
à multiples tiroirs qu'ils
exposeront au retour, dans
leur charmante boutique,
à côté d'un coffret laqué pour
boîte d'allumettes (65 €) et
d'une statuette en terre glaise
de Yu Qingcheng (149 €).
Une moisson d'accessoires
tendance ethno-chic.

Asja

Krugerstraße 15 (C3)
M° Karlsplatz
☎ 513 44 44
Lun. 14h-18h30,
mar.-sam.11h-19h.

À l'angle de la Haus der
Musik, une boutique aux murs
brossés blancs et au parquet
de bois blond rassemble
des objets d'aujourd'hui
pour la table et la maison,
des jetés de lits, des consoles
et des vases glanés çà
et là, au cours d'un voyage

à Bali ou à Java. Une approche
originale et hétéroclite.

Lotos

Neubaugasse 64 (B3)
M° Neubaugasse
☎ 524 08 39
Lun.-ven. 10h-19h,
sam. 11h-15h.

Les palmes du dépaysement
reviennent sans doute à ce
grand dépôt caché au fond
d'une cour de Neubau, où
s'entasse une sélection d'objets
hétéroclites — tissus, sofas,
sets de table et accessoires
en fer forgé — qui ont en
commun le goût, l'insolite et
la provenance : le continent
indien. Les prix, très variés,
s'échelonnent entre 250 € pour
un petit cabinet à neuf tiroirs,
et 1 500 € pour un paravent à
motifs bouddhiques.

Himalayan Arts

Kirchberggasse 16 (B3)
M° Volkstheater
☎ (0650) 470 72 14
Lun., mer., ven. et sam.
14h-18h.

Pour vous faire décoller
du quartier de Spittelberg,
un petit choix d'objets et de
textiles estampillés népalais
ou tibétains, à découvrir sur
fond d'encens et de musique
contemplative, entre les
peintures sur soie, la vaisselle
artisanale et le bois de santal.
Les étiquettes sont à l'image
de l'échoppe, raisonnables.

SANTAL ET BALSA

Le premier, qui nous vient des côtes de Malabar,
de Java et d'Indonésie, est un bois parfumé, soyeux
mais très résistant, que l'on employait autrefois en
marqueterie et dont on fait aujourd'hui de précieux
coffrets de couleur miel (*citrin*) ou rouge. Le second,
originaire d'Amérique centrale, est le bois le plus
léger du monde. On comprend qu'il soit très prisé des
déménageurs et des fanas d'aéromodélisme. Mais
attention, il est relativement poreux !

Livres, disques
et vidéos

Pas besoin de lire Freud dans le texte pour fureter du côté des libraires viennois : ils ont des livres en français consacrés à la capitale et de beaux ouvrages illustrés, qu'on vous laissera feuilleter en toute quiétude, sur l'art de vivre en Autriche et les splendeurs des palais baroques. Pendant ce temps, les « wolfgangophiles » et les groupies des concerts du Nouvel An pourront compléter leur collection de coffrets, car la vraie coqueluche de Vienne reste la musique…

Gramola
Graben 16 (C2)
M° Herrengasse
☎ 533 50 34
Lun.-mer. 9h30-18h30,
jeu.-ven. 9h30-19h,
sam. 9h30-18h.

Gramola est le temple de la musique classique et le chouchou des amateurs d'opéra. Si vous voulez faire un cadeau à un mélomane qui a déjà tout, c'est donc ici qu'il faut vous adresser. De l'éditeur Naxos au label russe Melodiya, en passant par les enregistrements en *live* de

l'Opéra national de Vienne, le personnel connaît ses rayons sur le bout des doigts et saura vous conseiller des pièces peu connues du répertoire, des mélodies de Lalo ou des arias de Stefano Donaudi.

Emi
Kärntner Straße 30 (C3)
M° Stephansplatz
☎ 512 36 75
Lun.-ven. 9h30-18h30,
sam. 9h30-18h.

Moins élitiste que Gramola, Emi est aussi plus éclectique : si le dernier étage est entièrement consacré aux classiques, les deux premiers niveaux font la part belle à la variété, à la musique traditionnelle autrichienne et aux jeunes compositeurs. Mais comme tout est très ordonné et fort bien étiqueté, vous n'aurez aucune peine à dénicher la compil de l'Austro-Slovène Slavko Avsenik ou le dernier volet de la trilogie du VAO, concocté par Mathias Rüegg.

Prachner

Museumsplatz 1 (B3)
M° Volkstheater
☎ 512 85 880
lun.-sam. 10h-19h,
dim. 13h-19h.

La librairie de l'éditeur
Georg Prachner, aujourd'hui
installée dans le hall ovale du
MuseumsQuartier, est toujours
la plus exemplaire de Vienne,
dans le domaine de l'archi, de
l'urbanisme et du design. Il y a
là des moissons de catalogues
d'expositions, de superbes
monographies d'artistes
et des piles d'ouvrages sur
les monuments autrichiens.
Un vrai régal !

Satyr-Filmwelt

Marc-Aurel-Straße 5 (C2)
(entrée par la Vorlaufstraße)
M° Schwedenplatz
☎ 535 53 27
lun.-ven. 10h-19h30,
sam. 9h-17h.

Si vous avez manqué *Un air
de famille* de Cédric Klapisch
ou le dernier épisode de la série
Absolutely Fabulous, faites
un saut dans l'antre de Satyr,
le rendez-vous des cinéphiles.
Vous y trouverez, sur deux
niveaux, une collection
étourdissante de scénarios et
de biographies bien sûr, mais
aussi des affiches de films
(4,53 €), des bandes-son et
des cassettes vidéo en v. o.

Morawa

Wollzeile 11 (C2)
M° Stephansplatz
☎ 513 7 513 450
lun.-ven. 9h-19h,
sam. 9h-18h.

Une bonne librairie générale,
pleine de petits recoins, où l'on
se bouscule pour acheter la
presse étrangère et tout ce que
l'actualité compte de livres
à grand tirage : romans de la
rentrée, guides de voyage,
le dernier portfolio de la
photographe Inge Morath ou

un album sur le Biedermeier.
Également disponibles, des
calendriers et un choix de
titres en anglais sur l'Autriche.

Black Market

Gonzagagasse 9 (C2)
M° Schottenring
☎ 533 76 17
lun.-ven. 12h-19h,
sam. 11h-18h.

La meilleure adresse pour
dégoter un vinyle de Suck me
plasma ou d'Urban motors.

Les consommateurs avisés de
musique électronique le savent
bien, tout comme les fans de
samples introuvables et pas
chers qui se pressent, dans
l'arrière-boutique, autour des
bacs de house, techno tribale,
hip-hop, groove, funk et soul.
En prime, un café, du street
wear et des accessoires.

Burgverlag

Burgring 1-3 (B3)
M° MuseumsQuartier
☎ 587 73 11
lun.-ven. 10h-13h
et 14h-18h.

C'est dans cette librairie aussi
respectueuse que feutrée,
entièrement vouée à la
gravure et au livre ancien,
que vous aurez toutes les
chances de mettre la main
sur une vue de Vienne au
XIXe s., une planche de
costumes ou une vieille carte
géographique de l'Empire
austro-hongrois.

PARTITIONS

Les surdoués du piano et du violon qui voudraient
profiter de leur week-end pour déchiffrer un menuet
de Mozart ou se procurer le livret rare d'un génie de
l'opéra s'engouffreront toutes affaires cessantes chez
Doblinger, Dorotheergasse 10, M° Stephansplatz, (C2),
☎ 515 03 0, lun.-ven. 9h30-18h30, sam. 10h-13h. Cela
dit, ce *Musikhaus* prend aussi les commandes par fax
(515 03 51) et peut expédier les partitions à l'étranger.

Souvenirs
et petits cadeaux

Vous êtes de ceux pour qui chaque jour doit
ressembler à une fête ? Vous pensez que les
petits cadeaux entretiennent l'amitié ? Alors,
Vienne vous séduira. Il vous suffit de délaisser
les grands magasins, un peu trop conservateurs,
et de jeter votre dévolu sur le fond des cours du
1er arrondissement et les galeries de Spittelberg où
les objets drôles, insolites, parfois kitsch, toujours
originaux en tout cas, font une percée remarquable.

Duftladen

Neubaugasse 31 (B3)
M° Neubaugasse
☎ (0664) 240 8262
Lun.-ven. 10h-18h30,
sam. 10h-17h.

On s'y presse pour faire le
plein d'idées cadeaux : de
l'agar cambodgien à l'ylang-
ylang des Comores, cette
boutique de cosmétiques
suisses propose des savons aux
plantes, des laits pour le corps
ainsi qu'une gamme de 150
huiles essentielles distillées
avec soin à partir d'ingrédients
exclusivement naturels et
rigoureusement bio. Fait
partie des musts le kyphi, un

encens aussi doux qu'enivran
élaboré d'après une recette de
l'ancienne Égypte (11,80 €
les 25 g).

Die vermischte Warenhandlung

Weihburggasse 16 (C2)
M° Stephansplatz
☎ 512 88 53 15
Lun.-ven. 10h-18h,
sam. 10h-17h.

Pas besoin d'attendre les fêtes
de Noël pour fureter chez
Aichinger, Bernhard & Co. Leu
comptoir de marchandises
hétéroclites, niché au fond
d'une cour à deux pas de la
Franziskanerplatz, a tout
ce qu'il faut pour attendrir
le visiteur : des rubans,
de ravissantes feuilles de
papier cadeau mais aussi
des animaux en peluche, des
tasses, des savons, toutes sorte
de fioles et de petites boîtes,
des bougies parfumées et des
fleurs en soie. On se demande
où ils vont chercher tout ça.

Vienna World

Führichgasse 6 (C3)
M° Karlsplatz
☎ 512 00 57
Dim.-ven.10h-19h,
sam. 10h-18h.

Dans cette petite boutique située à l'angle de la rue Tegetthoff, pas d'huiles essentielles ni de bougies parfumées mais une moisson de gadgets musicaux à prix raisonnables. Nous, on a un petit faible pour les crayons et les carnets, déclinés en plusieurs couleurs, mais il y a aussi des tee-shirts signés Beethoven, des sacs, des parapluies-partitions... Si les cravates sont trop chargées à votre goût, optez pour les chaussettes : la double-croche y est plus discrète !

ET AUSSI

Vous voudriez glisser dans votre valise un cadeau typiquement autrichien mais vous êtes à court d'idées ? Faites un tour dans les *Österreichische Werkstätten*. Cette coopérative d'artisans propose, sur 500 m², un large éventail de bijoux, de sacs « Ver Sacrum » (Schneiders), de petits cendriers en forme de feuille...
Kärntner Straße 6 (C2),
M° Stephansplatz,
☎ 512 24 18, lun.-ven.
10h-18h30, sam. 10h-18h.

Alt-Österreich

Himmelpfortgasse 7 (C3)
M° Stephansplatz
☎ 513 48 70
Lun.-ven. 10h-17h.

Cette caverne d'Ali Baba, que l'on dirait issue d'un croisement entre un bureau des objets trouvés et un déballage de brocanteur, est un véritable supermarché de l'Empire austro-hongrois. Si vous réussissez à braver les humeurs de la patronne, pas toujours folichonnes, l'expérience vaut le détour : publicités jaunies, boutons de manchette, chopes, cartes postales, affiches de théâtre, insignes de l'armée, photos de divas, médailles de la famille impériale, 78 tours d'Herbert von Karajan — des témoins singuliers d'une époque qui sont autant de cadeaux potentiels

Boudoir

Berggasse 14 (C1)
M° Schottenring
☎ 319 10 79
ou 650 319 1019
Mar.-ven. 14h-18h,
sam. sur r.-v.

Défi ou ironie du sort, c'est à deux pas du cabinet du Dr Freud que Renate Christian a ouvert son boudoir rempli de « galanteries » : coussins (23 €), taies d'oreiller, draps et rideaux d'alcôves imprimés de petits phallus ailés et autres dessins érotiques que n'aurait pas désavoué le marquis de

Sade. La jeune créatrice, qui eut Castelbajac et Westwood pour professeurs, applique les mêmes motifs libertins à une gamme de cadeaux : serviettes-éponges, peignoirs et négligés de soie qu'elle a baptisés Garbo, Colette, George Sand, Oscar Wilde... C'est frivole, un tantinet rococo, mais jamais vulgaire.

Metzger

Stephansplatz 7
☎ 512 34 33
Lun.-ven. 9h-19h,
sam. 9h-18h.

Devinette : quel est le point commun entre une bougie et un pain d'épice ? Vous donnez votre langue au chat ? Réponse chez Metzger : ce roi du cierge de cire, qui vend aussi bien des *Spekulatius* au miel que de fausses roses perlées de fausses gouttelettes de rosée, n'a d'yeux que pour les abeilles. Ses rayons regorgent de *Manschetten* et autres chandelles joliment décorées.

Delikatessen

Vous faites partie de ces gourmands qui ne jurent plus que par le sanglier des Hohe Tauern et par l'huile de potiron, qui ont décidé d'improviser un pique-nique de rêve à Schönbrunn et de ramener dans leurs valises un bon petit vin du Burgenland ? Voici quelques-unes des épiceries les plus appétissantes de la capitale où vous trouverez, à coup sûr, ces produits du terroir qui font toute la saveur des tables viennoises.

Schönbichler & Co

Wollzeile 4 (C2)
M° Stephansplatz
☎ 512 18 16
Lun.-ven. 9h-18h30,
sam. 9h-17h.

Dans cette estimable maison fondée en 1870, les amateurs de thé se fournissent aussi bien en très classique *Lapsang souchong* (5,50 €) qu'en *Silver Blossom de Formose* (18,40 € les 100 g). Mais comme Schönbichler a plus d'un arôme dans son sac, les étagères regorgent aussi de confitures sophistiquées, de terrines de caille aux morilles et d'eaux-de-vie autrichiennes à 43 €.

Meinl am Graben

Graben 20 (C2)
M° Stephansplatz
☎ 532 33 34
Lun.-mer. 8h30-19h30, jeu.-ven. 8h-19h30, sam. 9h-18h.

Miel de Styrie, moutarde au raifort, confiture de courge de Waitzendorf : si la seule évocation de ces noms vous fait pâlir d'envie, une halte s'impose chez Julius Meinl am Graben, le « Fauchon » des Viennois(es). Ses compotes aux abricots de la Wachau, ses jambons fumés du Schwarzatal et ses fromages de la Drave (1er étage) sont aussi alléchants que ses assortiments de spécialités à offrir, joliment présentés en corbeille ou en coffret.

Wein & Co

Jasomirgottstraße 3-5 (C2)
M° Stephansplatz
☎ 535 09 16
Lun.-sam. 10h-minuit,
dim. 11h-minuit.
Pour déguster ou acheter
tout ce que l'Autriche produit
de meilleur en matière de vins,
il y a bien sûr le *wine bar*
de Meinl am Graben mais
aussi le Wein & Co où les
connaisseurs retrouveront
tous leurs chouchous à des
prix minorés : riesling de
la Wachau, pinot noir de
Carnuntum, chardonnay et
Zweigelt du lac de Neusiedl
(16 €)… En prime : des
compotes de noix et des
chutneys de quetsches
de Styrie signés « Fink's ».

Arthur Grimm

Kurrentgasse 10 (C2)
M° Herrengasse
☎ 533 12 010
Lun.-mar. et jeu.-ven.
7h-18h30, mer. 7h-14h,
sam. 7h-12h.
Si cette boulangerie ne paie
pas de mine, tous ses pains,
qu'ils soient au seigle ou à
l'épeautre, sont naturels
et cuits avec amour par
Andreas, un artisan pétri
d'écologie qui leur donne
des formes inédites. Pour
preuve, le *Rauchfangkehrer*
et le *Finnenbrot*, qui figurent
parmi les fleurons de cette
collection bio à prix très sages
(entre 2,45 et 3,10 €).

Altmann & Kühne

Graben 30 (C2)
M° Stephansplatz
☎ 533 09 27
Lun.-ven. 9h-18h30,
sam. 10h-17h.
Tout le monde connaît A & K,
le roi du chocolat miniature
et de l'emballage chic.
Même les accros aux régimes
sans friandises craquent
devant ses pralinés lilliputiens,

qui fondent à plaisir (7,70 €
les 100 g), ses pyramides
de petits anges au nougat,
qui donnent littéralement
le tournis, et ses truffes à la
mandarine, qui sont toujours
aussi exquises. Gare aux kilos !

Unger und Klein

Gölsdorfgasse 2 (C2)
M° Schwedenplatz
☎ 532 13 23
Lun.-ven. 15h-0h,
sam. 17h-0h.
La meilleure adresse
pour tester le vin avant
de l'acheter ? Unger und
Klein ! Le cadre est original
(il est l'œuvre des architectes
Eichinger & Knechtl) et le
caviste consciencieux :
il a une belle palette d'eaux-
de-vie qui fleurent bon le
terroir et de gouleyantes
cuvées, comme le pinot noir
de Hans Nittnaus ou le
Rosenberg de Markowitsch.
1234 étiquettes au total.
Les étagères vous semblent

un peu… courbes ? Ce n'est
pas un effet de l'alcool : elles
le sont vraiment !

Zum schwarzen Kameel

Bognergasse 5 (C2)
M° Herrengasse
☎ 533 81 25
Lun.-sam. 8h-0h.

Cette vénérable institution
(1618 !) n'est pas seulement
un restaurant qui sert, entre
12h et 15h, les valeurs sûres
de la cuisine viennoise,
c'est aussi une épicerie fine
où l'on peut faire, dans
un silence religieux et avec
une certaine componction,
ses emplettes gourmandes.
Le vinaigre y est fameux,
tout comme le pain de
Gmünd, fourré aux raisins
secs, au rhum et aux noisettes
selon une vieille recette
paysanne. Les fans de canapés
trouveront là des *tramezzini*
au curry ou au saumon qui
comptent, dit-on, parmi les
plus divins d'Europe centrale.

À VOS CADDIES

Vous n'avez pas le temps de courir d'une épicerie
à l'autre ? Il existe, dans le 1er arrondissement, deux
libres-services épatants pour faire le plein de spécialités
autrichiennes : Julius Meinl am Graben, bien sûr, mais
aussi **Billa Corso**, au sous-sol des Ringstrassen-Galerien
(Kärntner Ring 9-13, C3, ☎ 512 66 25), ouv. lun.-jeu. 8h-
19h, ven. 8h-19h30, sam. 7h30-18h.

Le coin
des affaires

Dans le 1ᵉʳ arrondissement, les boutiques de *second hand* se comptent encore sur les doigts de la main. Si vous êtes à l'affût d'un must de la saison écoulée ou d'une panoplie à la Deschiens, misez plutôt sur le traditionnel Flohmarkt (marché aux puces), les discounts de jeans et les quelques fripiers périphériques. Dans tous les cas : négociez vos trouvailles, méfiez-vous des offres trop *günstig* (avantageuses) et évitez les contrefaçons.

Chegini
Kohlmarkt 4 (C2)
Mᵒ Herrengasse
☎ 535 60 91
Lun. 14h-18h15, mar.-ven. 10h-13h et 13h30-18h15, sam. 10h-17h.

Vous êtes à l'affût d'un petit ensemble de John Galliano à prix... réalistes ? Sachez qu'Eva Vrionis, la directrice de Chegini (Kohlmarkt 7), a eu la bonne idée d'ouvrir à deux pas de là (au fond de la cour du n°4, porte gauche), une annexe où les fashion victims peuvent jeter leur dévolu

sur des modèles de la saison passée bradés à 50 % de leur prix. Le printemps dernier, on y trouvait des fins de série intéressantes griffées Miu-Miu, YSL, Prada...

Gigi
Zedlitzgasse 11 (C2)
Mᵒ Stubentor
☎ 513 04 95
Lun.-jeu. 10h-18h, ven. 10h-19h30 et le 1ᵉʳ sam. du mois 10h-17h.

L'une des rares boutiques de Vienne à vendre exclusivement du *second hand* haut de gamme. Les élégantes du 1ᵉʳ arrondissement y déposent leur petit ensemble « couture » qu'elles n'ont porté qu'une seule fois au *Musikverein*. Les meilleures étiquettes sont donc au rendez-vous – Armani, Escada Mondi, Montana, etc. – à des prix imbattables : 220 € pour une veste glamour de chez Westwood. Qui dit mieux !

First Fashion

Krugerstraße 10 (C3)
M° Stephansplatz
☎ 513 54 84
Lun.-sam. 10h-18h.

Du blazer Yves Saint Laurent au modèle acétate et viscose signé Sonia Rykiel, « FF » donne dans le *second hand* de luxe à petits prix (entre 150 et 600 €). Avec, en plus, un grand choix de fourrures et de manteaux en parfait état, dans un style qui convient aussi bien aux dames qui aiment montrer leurs jambes qu'aux bourgeoises bon teint du quartier.

Kamikaz

Neubaugasse 54 (B3)
M° Neubaugasse
Lun.-ven. 10h-19h,
sam. 10h-18h.

Pendant longtemps, Kamikaz était la friperie du quartier. Aujourd'hui, c'est un magasin d'articles totalement neufs mais qui cultive toujours avec autant de bonheur l'art du petit prix et le brassage des genres : jeans, tee-shirts imprimés de motifs rigolos, tops, sacs, accessoires à tendance kitsch, chemises Hawaii et robettes de cocktail…, le tout importé d'Asie ou de Paris et vendu

à des tarifs très convaincants par le sympathique Laurent Candelon.

Jil & Giorgio

Viriotgasse 6 (HP)
M° Nußdorferstraße
☎ 319 55 71
Lun. 14h-18h,
mar.-ven. 10h-18h.

Plus excentré et plus confidentiel, un petit dépôt de vêtements pour femme. Vous trouverez ici des secondes mains signées Versace, Armani, Yamamoto, Dior ou encore Helmut Lang (taille : 36 à 42), vendues jusqu'à 70 % de leur prix d'origine. Et si Jil n'a pas su rallier vos suffrages, sachez que, trois blocs plus

bas (Nußdorferstraße 39), le *Hang on a second* de Maria Mayerhofer brade ses robes de bal à 115 €.

Caritas

Steinheilgasse 3 (HP)
M° Floridsdorf
☎ 259 99 69 ou 259 85 77
Lun.-ven. 10h-18h,
sam. 9h-13h
(17h le 1ᵉʳ sam. du mois).

Enfin, pour vous porter le coup de grâce, il y a le « Lager Nord » de la Caritas. Bien sûr, ce dépôt façon Emmaüs est très éloigné du centre – enfin, n'exagérons rien : à 10 min de marche du métro par la Leopoldauer Straße – mais il déploie des trésors de vaisselle, meubles, abat-jour, tapis, miroirs et vêtements qu'il serait d'autant plus dommage de snober qu'il est devenu très « tendance », à Vienne, d'aller chiner chez Caritas.

MARCHÉ AUX PUCES

Chaque samedi, dans le prolongement du Naschmarkt, entre les stations de métro Kettenbrückengasse et Pilgramgasse, les professionnels de la brocante et les camelots des Balkans se partagent – parfois au prix de quelques empoignades – le bitume de la Wienzeile. On ne compte pas les monceaux de fripes, de cartes postales anciennes, de timbres et de chaussures de ski, mais les bonnes affaires se font tôt, entre 8h et 10h.

Sortir **mode d'emploi**

Si l'on s'en tient aux apparences, la vie nocturne peut sembler sage et la ville assoupie. Il est vrai qu'ici, la frénésie réside surtout dans la multiplicité des concerts classiques et qu'entre le *Crépuscule des dieux*, le festival Strauss et les premières de Seiji Ozawa, on ne sait plus bien où donner de la tête. Mais si vous prenez la peine de sortir des sentiers battus, vous aurez toutes les chances de vous retrouver dans un bar de nuit sympa ou une rave débridée.

Où sortir ?

De nombreux palais et églises du 1er arr. proposent un éventail très varié de concerts de qualité, de la *Missa solemnis* de Mozart aux duos de violoncelle en passant par les impromptus de solistes

SE REPÉRER

Nous avons indiqué, à côté de toutes les adresses des chapitres Séjourner, Shopping et Sortir, leur localisation sur le plan situé à la fin de ce guide.

en costumes d'époque. Vous aurez donc l'embarras du choix, entre la Schottenkirche, le palais Pállfy, le palais Lobkowitz, la Minoritenkirche et l'Augustinerkirche. Les grandes salles de spectacle – tels le Burg, l'Opéra, le Theater an der Wien et le Volkstheater – sont situées de part et d'autre du Ring et sont très facilement accessibles à pied ou en métro depuis le centre. Il en va de même pour les bars chic de la City : vous les trouverez aux abords de la Kärntner Str. (tel l'Onyx Bar de la Haas-Haus, p. 44).

Le fameux quartier du Bermuda-Dreieck, au cœur de la Vienne médiévale, n'est plus ce qu'il était mais le Krah-Krah et le Jazzland sont toujours très animés. Quant aux dance floors les plus courus, ils sont disséminés aux quatre coins de la ville, notamment dans les 1er, 3e, 7e, 8e et 12e arr.

Le programme

L'excellent hebdo *Falter* (2,40 €) publie une sélection commentée, en allemand, des manifestations et le *Wien Magazin* (gratuit) recense

haque mois, en 32 pages,
es films, les concerts de
usique « E » (classique)
t « U » (actuelle), les
xpos, les nouvelles pièces,
es derniers ballets et les
ctivités sportives. Les night-
lubbers qui n'auraient pas
ncore déniché les heures
t thèmes de leur prochaine
oirée se brancheront sur
a page « Party Time » du
Falter (www.falter.at). Enfin,
office de tourisme édite une
rochure, *Wien Program*,
ui récapitule les principaux
vénements du mois
festivals, etc.).

Sécurité

ertains partis xénophobes
ui n'hésitent pas à comparer
ienne à Chicago affirment
ue le nombre des larcins
rait en vertigineuse
ugmentation depuis la chute
u rideau de fer. C'est tout à
ait faux : le 1er arrondisse-
ent est sûr ! Et pour déjouer
es quelques pickpockets qui
pèrent parfois à la station
arlsplatz ou aux abords de
a Südbahnhof, il suffit de
aire preuve de bon sens :
'emportez pas vos bijoux de
amille, surveillez votre sac
main, sac à dos, appareil
hoto ou caméra vidéo
t laissez votre passeport
l'hôtel. Seule et unique
ecommandation : évitez
e vous rendre à une heure
ardive au Prater et sur la
Mexikoplatz (2e arr.).

Réservation

our obtenir une place
u Staatsoper, Volksoper ou
Burgtheater, adressez-vous au
ureau de location
u Bundestheaterverband, 1,

Operngasse 2, lun.-ven.
8h-18h, sam. 9h-12h,
☎ 514 44 7880. Notez que
la vente des billets débute
un mois avant le jour de
la représentation et que les
spectacles donnés du 1er au
30 sept. sont vendus entre le
1er et le 30 juin. Vous pouvez
aussi réserver par téléphone
(☎ 513 1 513) et par Internet
(www.culturall.com).
Si vous n'avez pas de billet,
tentez votre chance en vous
rendant le jour même sous
les arcades du Staatsoper,
Herbert-von-Karajan-Platz.
La caisse ouvre dès 9h
et ferme 1h avant le spectacle
(le sam. à 12h).
Au **Konzerthaus**, les billets
sont mis en vente trois
semaines avant le concert.
Vous pouvez téléphoner au
☎ 242 002 (lun.-ven. 8h-
18h30, sam.-dim. 9h-13h
et 16h-18h30),

réserver sur Internet (ticket@
konzerthaus)
ou les acheter directement
au guichet (Lothringerstr. 20,
lun.-ven. 9h-19h45,
sam. 9h-13h). Le billet
du Konzerthaus vous donne
le droit d'emprunter
les transports publics viennois
2h avant et jusqu'à 6h après
le début du concert.
Le **Volkstheater** vend
ses places par téléphone
(☎ 52 111 400), mais vous
pouvez aussi les acheter
directement au guichet
(lun.-sam. dès 10h du matin,
entrée par la Burggasse).
En dernier ressort, demandez
conseil au réceptionniste
de votre hôtel ou passez par
une agence spécialisée dans
la vente de billets de spectacle,
comme **ÖsterreichTicket**,
☎ 96096 ou
Wien Ticket Pavillon, Herbert
Karajan Platz, juste à côté de
l'Opéra, ☎ 588 85,
ouv. t. l. j. 10h-19h.

FESTWOCHEN ET AUTRES FESTIVALS

C'est le point fort de l'agenda culturel viennois. Les
Festwochen (« Festival de Vienne ») offrent chaque
année, en mai-juin, un programme de grande
qualité avec des interprètes internationaux, de
brillantes mises en scène, des troupes étrangères
et des spectacles en plein air. Infos et billets : 6,
Lehárgasse 11, ☎ 589 220, 🕿 589 22 49,
www.festwochen.at. Deux autres festivals devraient
donner le tournis aux mélomanes : **Resonanzen** (fin
janvier), dédié à la musique médiévale et baroque,
et **Osterklang** (fin mars-début avr.), classique lui aussi
mais davantage axé sur la musique des XVIIe-XIXe s.
Infos et billets : Resonanzen, ☎ 242 002,
www.konzerthaus.at. Osterklang, ☎ 588 85,
www.osterklang.at

Concerts et opéras

1 - Mozarthaus
2 - Staatsoper
3 - Musikverein
4 - Burgtheater

dans un autre registre : le genre « léger ». De *La Chauve Souris* de Strauss à *La Veuve Joyeuse* de Lehár, il accueille en effet, depuis cent ans, les grands classiques de l'opérette, du vaudeville et de la comédie musicale.

Wiener Kammeroper

Fleischmarkt 24 (C2)
M° Schwedenplatz
☎ 512 01 00 77
www.wienerkammeroper.at
Prix des places :
entre 15 et 48 €.

Le casting est sans doute moins prestigieux et le décor plus fruste qu'au Volksoper, mais les chanteurs qui font leurs armes dans cet opéra de chambre ne manquent pas de talent. À retenir surtout pour son cadre intime, ses opérettes de Strauss et sa sélection de pièces baroques méconnues (*Agrippina* de Händel...).

Staatsoper

Opernring 2 (C3)
M° Karlsplatz
☎ 514 44 22 50
www.wiener-staatsoper.at
Prix des places :
entre 29 et 178 €.

Sous la direction d'illustres chefs tel le super maestro Herbert von Karajan qui a attiré, en son temps, la crème des divas, et de Claudio Abbado qui a su inscrire au programme de nouvelles mises en scène d'œuvres rares, l'Opéra de Vienne s'est imposé comme l'une des meilleures scènes lyriques d'Europe. Un incroyable escalier d'honneur, une salle de 1 700 places et un programme en v. o. avec sous-titres en anglais. Le grand jeu !

Volksoper

Währinger Straße 78 (B1)
M° Volksoper
☎ 514 44 36 70
www.volksoper.at
Prix des places :
entre 20 et 70 €.
Si vous n'avez pas envie de faire la queue toute la nuit pour essayer de décrocher une place, essayez le Volksoper, dont la sélection est tout aussi brillante que le mythique Staatsoper, mais

Musikverein

Bösendorferstrasse 12 (C3)
M° Karlsplatz
☎ 505 81 90
www.musikverein.at
Concerts à 19h30.

À inscrire sans faute sur votre bloc-notes, les dates de vos prochains rendez-vous au Musikverein. Ce temple (1869) de la musique classique à l'acoustique exceptionnelle est en effet le siège du prestigieux orchestre philharmonique de Vienne qui se produit dans la Großer Saal à l'occasion, entre autres, du traditionnel concert du Nouvel An retransmis en mondovision. La Brahms Saal, plus petite, est réservée à la musique de chambre.

Volkstheater

Neustiftgasse 1 (B3)
M° Volkstheater
☎ 52 111 400
www.volkstheater.at
Prix des places :
entre 8 et 40 €.

Ce beau théâtre (1889), moins élitiste que le Burg, privilégie les pièces engagées, à caractère social ou documentaire, signées Dürrenmatt, Goldoni ou Nestroy, un génial dramaturge de l'époque Biedermeier qui affectionnait tout particulièrement les pirouettes sentimentales, les jeux de mots cocasses et les rebondissements endiablés. Si vous comprenez l'allemand, tâchez de voir l'une de ses satires : c'est savoureux. En plus, il y a maintenant un bar très agréable, le Rote Bar, ouv. t. l. j. à partir de 18h.

Theater an der Wien

Linke Wienzeile 6 (C3)
M° Karlsplatz
☎ 588 30 660
www.theater-wien.at
Prix des places : entre 30 et 165 €.

Avis aux amateurs d'opéra : ce vénérable théâtre (il a été

édifié en 1801 à l'initiative d'Emanuel Schikaneder, le librettiste de la *Flûte enchantée*) se consacre de nouveau, depuis 2006, au baroque, au meilleur de Mozart et à la création contemporaine !

Mozarthaus

Singerstraße 7 (C2)
M° Stephansplatz
☎ 911 90 77
www.mozarthaus.at
Concerts à 19h30
(18h le samedi)
Prix des places :
entre 35 et 42 €.

En 1781, Mozart, qui était encore au service du prince-archevêque Colloredo, se produisit à plusieurs reprises dans cette maison, propriété de l'ordre des Chevaliers teutoniques, où il logeait en compagnie des autres musiciens. Des solistes de renommée internationale y donnent aujourd'hui des concerts de haut niveau. Au programme : Mozart bien sûr, mais aussi Haydn, Schubert et Beethoven.

Burgtheater

Dr Karl-Lueger-Ring 2 (B2)
M° Herrengasse
☎ 514 44 44 40
www.burgtheater.at
Prix des places :
entre 15 et 48 €.

Le « Burg », pour les intimes, est l'un des meilleurs théâtres

des pays de langue allemande. Construit en 1888 et longtemps dirigé par le talentueux Claus Peymann, il offre un double visage : un cadre fastueux décoré d'une fresque de Gustav Klimt, avec des portiers en uniforme à parements dorés, et un programme insolent qui ne manque pas de susciter des controverses (le soir de la première d'une pièce de Thomas Bernhard, des ultraconservateurs avaient déversé une charretée de fumier devant l'entrée...).

Hofburgkapelle

Hofburg, Schweizerhof (C2)
M° Herrengasse
☎ 533 99 27
www.wsk.at. Dim. (sf juil.-août) 9h15
Prix des places :
entre 5 et 29 €.

C'est dans cette chapelle que le célèbre Chœur des petits chanteurs de Vienne (Wiener Sängerknaben), institué en 1498 par l'empereur Maximilien Ier, donne son récital dominical. Vous pourrez retrouver leurs voix cristallines au Konzerthaus le ven. à 15h30 (mai, juin, sept. et oct.).

Konzerthaus

Lothringerstraße 20 (C3)
M° Stadtpark
☎ 242 002
www.konzerthaus.at
Prix des places :
entre 16 et 200 €.

Le Konzerthaus voit se succéder, dans ses trois salles qui viennent d'être rénovées, le meilleur du symphonique et de l'orchestre de chambre. Du récital du pianiste Oleg Maisenberg aux matinées de l'organiste Jean Guillou, en passant par Cecilia Bartoli interprétant le rôle d'Almirena, les productions sont toujours d'une grande qualité et devraient réjouir les mélomanes les plus pointus.

Bars de nuit

1 - Stylez Club
2 - Planter's
3 - First Floor

rhum & cachaça drinks à partir de 7,50 €.

Bars de nuit

Loos Bar

Kärntner Straße 10 (C2)
M° Stephansplatz
☎ 512 32 83
Lun.-mer. 12h-4h,
jeu.-dim. 12h-5h.

Ce bar légendaire, classé monument historique, fut conçu par l'architecte Adolf Loos en 1908, l'année même où parut sa théorie sur l'inutilité du décor (*Ornement et Crime*). Ce qui ne signifie pas, loin de là, que le cadre ambiant soit moins éblouissant que le sourire de Marianne Kohn, la maîtresse des lieux…

First Floor

Seitenstettengasse 5 (C2)
M° Schwedenplatz
☎ 533 25 23
T. l. j. 19h-4h.

Depuis qu'il a été relifté (1994) par Eichinger et Knechtl, le First Floor est l'un des bars les plus beaux de Vienne. Si beau que l'on resterait scotché au comptoir des heures durant, à scruter les ondulations d'herbes vertes qui flottent à l'intérieur d'un aquarium bleu, tout en sirotant, dans une ambiance cool et tamisée, sur fond de piano et contrebasse, d'excellents cocktails : *manhattan specials* et

Blaue Bar

Philharmonikerstraße 4
M° Karlsplatz (C3)
☎ 51 456 842
T. l. j. 10h-2h.

Si vous redoutez les rythmes effrénés, les néons et le côté « boum improvisée » de certains clubs, essayez le bar de l'hôtel Sacher. Tout s'y passe dans le meilleur des mondes possibles. Le cadre est reposant, la musique on ne peut plus douce et le drink *Anna Sacher* n'a rien à envier aux autres cocktails : 2 cl de jus d'orange, 1 cl de liqueur d'abricot, un *dash* de grenadine, 1 cl de vermouth et du champagne.

Planter's

Zelinkagasse 4 (C2)
M° Schottenring
☎ 533 33 93 15
T. l. j. 17h-4h.

Avec ses palmiers, ses ventila-
teurs et ses lourds fauteuils,
Peter Rössler réussit chaque soir
à faire croire aux Viennois qu'ils
ont échoué dans une plantation
d'hévéas en Indonésie ou dans
un remake d'*Out of Africa*.
Environ 350 marques de whisky
et pas mal de bouteilles de rhum.
Plus colonial…

Krah-Krah

Rabensteig 8 (C2)
M° Schwedenplatz
☎ 533 81 93
Lun.-sam. 11h-2h,
dim. 11h-1h.

Avant de s'éclater sur les pistes
de danse, touristes et étudiants
transitent souvent par cet incontournable bar à bières du
« Triangle des Bermudes ».
C'est bourré de monde, enfumé – mais où est passée la
clim' ? – et bruyant comme
son nom le suggère assez (en
allemand, *krah-krah* signifie
« croa-croa »), mais la musique, résolument rock, n'est
pas mal et la bière n'est qu'à
3,60 € le bock.

Reiss-Bar

Marco-d'Aviano-Gasse 1
M° Stephansplatz (C3)
☎ 512 71 98
Dim.-jeu. 11h-2h,
ven.-sam. 10h-3h.

Le Reiss, seul bar à champa-
gnes de la capitale, retient tard
dans la nuit une clientèle de
quadragénaires bon pied bon
œil et plutôt privilégiés qui y
trouve une palette incroyable
de marques du monde entier (à
partir de 11 € la coupe). Pour
accompagner toutes ces petites
bulles : huîtres, caviar, saumon

d'Irlande et *tramezzini*. Service
affable et compétent.

Barfly's

Esterházygasse 33 (B3-4)
M° Zieglergasse
☎ 586 08 25
T. l. j. 18h-3h.

Coincé au bout d'un hall d'hôtel, le Barfly's est un petit bar
déjà bien patiné, qui a parfaitement résisté à toutes les modes.
150 sortes de rhum, 40 marques
de tequilas et autant de cocktails
à boire en écoutant Sinatra.

Stylez Club

Neubaugasse 10 (B3)
M° Neubaugasse
☎ 990 75 83
T. l. j. 12h-2h.

Le Stylez, qui vient de faire son
entrée dans la galaxie des bars à
cocktails, distille une bande-son
tantôt *chill out* et psychédélique
(surtout le mercredi, lorsqu'il

se la joue « soirée bien-être »
avec massage gratuit et snacks
végétariens), tantôt tribale ou
électrique. Il n'y a pas de dress
code particulier : néanmoins, si
vous voulez assortir votre look à
la couleur des murs, une petite
touche d'orange sanguine s'impose. Happy hour jusqu'à 20h.

Kruger's

Krugerstraße 5 (C3)
M° Karlsplatz
☎ 512 24 55
Lun.-ven. 18h-2h,
sam. 18h-4h, dim. 19h-2h.

À deux pas de l'Opéra, un bar
américain, spacieux et très
calme, qui fait un peu concurrence au Planter's et où
l'on peut commander cognacs,
armagnacs et cigares à gogo. De
18h à 20h, cocktails à 5 €.

Schikaneder

Margaretenstraße 24 (C3)
M° Karlsplatz
☎ 58 52 867
T. l. j. 10h-3h30.
Derrière ses fauteuils bas et ses
tabourets hauts, ce bar aussi
enfumé que difficilement
classable est le must absolu en
matière de scène alternative !
Au menu : DJ novateurs, films
atypiques, opéras expérimentaux et concerts rigolos (dans
le genre *vegetable orchestra*
qui joue à merveille du violon-
potiron et de la flûte-carotte).

LE LOOK NOCTURNE

Si les Viennois continuent de s'habiller smart pour
assister à une première au Burg, à l'Opéra et au
Musikverein, personne – hormis quelques restaurateurs
grincheux – ne vous tiendra rigueur d'avoir oublié de
glisser une cravate ou une robe du soir dans votre
valise. En boîte, le dress code n'est pas aussi strict qu'à
Paris ou à Londres. Vous aurez donc toute latitude
quant au choix du club wear. Un conseil néanmoins !
Évitez les talons aiguilles : les pavés de la vieille ville
sont plutôt… disjoints.

Nightclubbing

U4

Schönbrunner Str. 222 (A4)
M° Maragaretengürtel
☎ 817 11 92
T. l. j. 22h-5h.

La plus internationale des boîtes viennoises (depuis le passage de Prince, Sade et Divine) est aux stars de l'underground ce que l'Opéra de Vienne est à Placido Domingo. Des DJ de Londres et d'ailleurs s'y produisent assez souvent, pour le plus grand plaisir des amateurs de house et de techno tout aussi farouchement déterminés à trouver l'âme sœur avant la fermeture. *Heaven gay night* le dernier samedi du mois.

Jenseits

Nelkengasse 3 (B3)
M° Neubaugasse
☎ 587 12 33
Lun.-sam. 22h-4h.

Si vous n'aimez pas les usines à danse du genre Fun Factory, qui s'est ouvert dans le hall 1 du parc des Expositions de Leopoldstadt, essayez le Jenseits. C'est le bouge le plus somptueux et le plus intime de Mariahilf. Déco années 1950 et rouge cramoisi pour fêtards esseulés et aventureux. Soul et funk.

Passage

À l'angle du Burgring et de la Babenbergerstraße (B3)
☎ 961 88 00
Mar.-dim. à partir de 20h.

Cinq soirs par semaine, des DJ se pointent avec leurs platines et transforment, comme par enchantement, un ancien passage souterrain du métro en une boîte de nuit presque futuriste pour amateurs de soul et surtout de house. Le mardi, ils remettent ça avec des tubes des années 1970 à 90 (« soirées bachelor »).

Volksgarten Disco

Burgring 1 (B3)
M° Volkstheater
☎ 533 05 18
www.volksgarten.at

Pour finir une journée d'été en beauté, vous pouvez dîner au « Pavillon » du Volksgarten – plats chauds servis jusqu'à minuit – et danser en plein air, jusqu'à 2h du matin, sur des rythmes moins effrénés qu'à l'U4 et plus commerciaux qu'à l'Arena. Tango le lundi dès 20h ; house, soul, hip-hop ou R'n'B le jeudi (à partir de 21h) et le vendredi (23h) ; le samedi soirée « Volksgarten Special » (23h).

Flex

Donaukanal-Promenade
Augartenbrücke (C1)
M° Schottenring
☎ 533 75 25.

Si vous aimez chalouper sur des rythmes techno, dub et drum'n'bass, ça vaut vraiment la peine de vous presser au portillon de ce dance-floor aménagé le long du canal du Danube. Ce n'est pas si excentré et le programme, des plus variés, devrait vous faire grimper au plafond dès 23h. Élu « meilleure boîte d'Europe » par la revue allemande *Spex*. Dates sur www.flex.at

Szene Wien

Hauffgasse 26
M° Enkplatz (U3)
☎ 749 33 41
www.szenewien.com

Pour explorer tous les répertoires de la planète, c'est très simple : il suffit de s'aventurer dans le 11e arrondissement de Vienne. On y donne très régulièrement, à partir de 20h, des concerts de jazz, gothic, indie rock, reggae… mais aussi des soirées « Balkan fever » ainsi qu'un festival « Salam Orient » pour les inconditionnels de cythare syrienne et de percussions kurdes. Entrée : entre 14 et 21 €. Tarifs réduits pour les moins de 25 ans disponibles chez Jugendinfo (Babenbergerstraße 1).

Rock

Wuk

Währinger Straße 59 (B1)
M° Volksoper
☎ 401 21 0
À partir de 20h ou 22h.

Le Wuk est une sorte de MJC alternative ou de centre culturel polyvalent de 12 000 m², aménagé depuis une quinzaine d'années dans un ex-entrepôt de locomotives : un squat idéal, autrement dit, pour assister à un

1 - Volksgarten Disco
2 - Volksgarten Disco
3 - Porgy & Bess
4 - U4

concert de rock torride, vrombis-sant et postindustriel. On y trans-pire beaucoup mais la clim' de la grande salle vient d'être refaite. De 7 à 18 €. (www.wuk.at)

Arena

Baumgasse 80 (E4)
M° Erdberg (U3)
☎ 798 85 95
www.arena.co.at
À partir de 19h30 ou 22h.

Pour ceux qui ne pourraient se passer de leur dose habituelle de rock, de heavy metal et de hard-core, il y a deux possibilités : traverser tout Vienne en quête d'une rave improbable du côté de la Schartlgasse (M° Liesing), ou se diriger tout droit vers l'Arena, un ancien abattoir mé-tamorphosé en salle de concerts, avec scène en plein air en juin et juillet. Entrée : 20 €.

STADTBAHNBÖGEN

Pour faire la fête jusqu'à 4 h du matin, il y a aussi les bars qui ont élu domicile sous les arcades (*Stadtbahnbögen*) de la ligne de métro U6, entre les stations Thaliastraße et Volksoper. Le plus couru est le **Rhiz** au n° 37-38 : c'est là que se produisent tous les pros de la musique électronique viennoise (Sofa Surfers, Louie Austen, DJ DSL, I-Wolf...). Les noctambules s'arrêtent également au **Loop** (arcades n° 26-27), au **Chelsea** (29-31), au **B72** (n° 72-73), au **Q [kju :]** (142-144) et au **Halbestadt** (155).

Jazz

Porgy & Bess

Riemergasse 11 (C2)
M° Stubentor
☎ 512 88 11 ou 503 70 09
Lun.-jeu. 20h-2h, ven.-sam 20h-4h, dim. 19h-2h.

Un excellent club qui attire tous les pèlerins du jazz vivant et métissé par une programma-tion éclectique : du saxophoniste Chris Potter à l'ensemble Ravi Coltrane. Entrée à partir de 15 € (un peu moins cher pour les moins de 26 ans).

Jazzland

Franz-Josefskai 29 (C2)
M° Schwedenplatz
☎ 533 25 75
www.jazzland.at

Quatre ou cinq fois par semaine, à partir de 21h, des jazz bands se produisent au pied de l'église Saint-Ruprecht dans ce caveau très populaire qui compte encore parmi les bonnes boîtes de jazz de la capitale. Bonne ambiance.

Pour commencer, quelques règles de prononciation

Les voyelles

u = ou comme dans « chou »
ä = è comme dans « tête »
ö = eu comme « beurre »
ou = « peu »
ü = u comme dans « lune »
au = ao comme dans « baobab »
ei = ill comme dans « travail »
eu, äu = oï comme dans « Hanoi »

Les consonnes

j = y comme dans « balayer »
sch = ch comme dans « cheval »
st, sp (au début d'un mot) = cht, chp
ß = s comme dans « savoir »
s (devant une voyelle) = comme dans « rose »
s (en fin de mot ou devant une consonne finale) = s

z = ts comme dans « tsé-tsé »
v = f comme « fenêtre »
w = v comme dans « valise »
h (au début d'un mot) : toujours aspiré
ch (après a, o, u, au) : toujours raclé
ch (après e, i, ä, ö, ü, ei, eu) : toujours mouillé.

Expressions usuelles

Au revoir : Auf Wiedersehen
Bonjour : Grüß Gott
Bonsoir : Guten Abend
Je ne comprends pas : Ich verstehe nicht
Merci : Danke (schön)
Oui/Non : Ja/Nein
Pardon : Verzeihung !
Parlez-vous français ? : Sprechen Sie französisch ?
S'il vous plaît : Bitte (schön)

Espace et temps

Où se trouve ... ? : Wo ist ... ?
À droite : rechts
À gauche : links
Tout droit : geradeaus
Aujourd'hui : heute
Hier : gestern
Demain : morgen
Ce matin : heute morgen
Ce soir : heute abend
Lundi : Montag (Mo)
Mardi : Dienstag (Di)
Mercredi : Mittwoch (Mi)
Jeudi : Donnerstag (Do)
Vendredi : Freitag (Fr)
Samedi : Samstag (Sa)
Dimanche : Sonntag (So)
À quelle heure ? : Um wieviel Uhr ?

Faire du shopping

Je voudrais : Ich möchte
Combien coûte ... ? : Was kostet ... ?
Chapeau : Hut
Chaussure : Schuh
Chemise : Hemd
Costume : Anzug
Coton : Baumwolle
Cravate : Krawatte
Cuir : Leder
Encolure : Kragenweite
Gant : Handschuh
Grand magasin : Kaufhaus
Jupe : Rock
Laine : Wolle
Manteau : Mantel
Mouchoir : Taschentuch
Pantalon : Hose
Parapluie : Regenschirm
Pointure : Schuhgröße
Prix : Preis
Retouche : Änderung
Robe : Kleid
Sac : Tasche
Soie : Seide
Supermarché : Einkaufszentrum

Talon : Absatz
Velours : Samt
Veste : Jacke

Les nombres

Un : eins, ein, eine
Deux : zwei
Trois : drei
Quatre : vier
Cinq : fünf
Six : sechs
Sept : sieben
Huit : acht
Neuf : neun
Dix : zehn
Onze : elf
Douze : zwölf
Treize : dreizehn
Vingt : zwanzig
Vingt et un : einundzwanzig
Trente : dreißig
Quarante : vierzig
Cent : hundert
Deux cents : zweihundert
Mille : tausend

À l'hôtel

Auriez-vous une chambre libre ? : Haben Sie noch ein Zimmer frei ?
Pour une nuit : für eine Nacht
Avec douche : mit Dusche
Avec salle de bains : mit Bad
Je désire être réveillé à ... heures : Ich möchte um ... Uhr geweckt werden
Petit déjeuner : Frühstück

Au restaurant

Abricot : Marille
L'addition ! : Bitte zahlen !
Assiette : Teller
Beurre : Butter
Bière : Bier
Bœuf : Rind
Bouteille : Flasche
Café : Kaffee
Cerises : Kirschen
Chevreuil : Reh
Chocolat : Schokolade
Couteau : Messer
Crème fouettée : Schlagobers
Cuillère : Löffel
Eau : Wasser
Escalope : Schnitzel
Fourchette : Gabel
Fraises : Erdbeeren
Fromage : Käse
Gâteau : Mehlspeise
Hors-d'œuvre : Vorspeise

Jambon : Schinken
Jus de pomme : Apfelsaft
Lait : Milch
Menu : Speisekarte
Moutarde : Senf
Pain : Brot
Pâtes : Nudeln
Pêches : Pfirsische
Petit pain : Semmel
Poires : Birnen
Poisson : Fisch
Poivre : Pfeffer
Pommes : Äpfel
Pommes de terre : Erdäpfel
Porc : Schwein
Poulet : Hendl
Raifort : Kren
Riz : Reis
Sel : Salz
Sucre : Zucker
Thé : Tee
Tomates : Paradeiser
Veau : Kalb
Verre : Glas
Vin blanc/rouge : Weißwein/Rotwein
Vinaigre : Essig

En ville

Aéroport : Flughafen
Arrêt : Haltestelle
Arrivée : Ankunft
Bagages : Gepäck
Billet : Fahrkarte
Bureau de tabac : Trafik
Changer : umsteigen
Consigne : Gepäckaufbewahrung
Correspondance : Anschluß
Départ : Abfahrt
Entrée : Eingang
Gare : Bahnhof
Métro : U-Bahn
Route : Straße
Sortie : Ausgang
Train : Zug
Tramway : Straßenbahn
Voie : Gleis
Vol : Flug

Les panneaux

Autobahn : autoroute
Baustelle : travaux
Einbahnstraße : sens unique
Gefahr ! : danger !
Geöffnet : ouvert
Geschlossen : fermé
Gesperrt : route barrée
Kein Zutritt : passage interdit
Langsam fahren : ralentir

UN GRAND WEEK-END À

pour découvrir une ville
en quelques jours

- Amsterdam
- Anvers
- Athènes
- Avignon
- Barcelone
- Berlin
- Biarritz
- Bruxelles
- Budapest
- Cracovie
- Deauville
- Dublin
- Dubrovnik
- Édimbourg
- Fès - Meknès
- Florence
- Genève
- Istanbul
- Lille
- Lisbonne
- Londres
- Lyon

- Madrid
- Marrakech
- Marseille
- Montréal
- Nancy
- Naples
- New York
- Nice
- Paris
- Prague
- Québec
- Rome
- Saint-Malo
- Saint-Pétersbourg
- Séville
- Stockholm
- Strasbourg
- Toulouse
- Turin
- Venise
- Vienne

weekend@hachette-livre.fr

Ce guide a été établi par **Jean-Philippe Follet**, qui adresse ses remerciements à Inès de Bonnechose, Jutta Hintersteininger, Herwig Kolzer et Ingeborg Millet.
Ont également également collaboré à cette édition : Kristina Bertuletti, Christine Desnos, Bénédicte Palluat de Besset et Caroline Kuhn.
Couverture : Thibault Reumaux
Mise en pages : Chrystel Arnould
Cartographie : Frédéric Clémençon et Aurélie Huot.

Aussi soigneusement qu'il ait été établi, ce guide n'est pas à l'abri des changements de dernière heure, des erreurs ou omissions. Ne manquez-pas de nous faire part de vos remarques. Informez-nous aussi de vos découvertes personnelles, nous accordons la plus grande importance au courrier de nos lecteurs.

Guides *Un Grand Week-End*, **Hachette Tourisme, 43 quai de Grenelle – 75905 Paris Cedex 15.**
E-mail : weekend@hachette-livre.fr

Contact partenariats et publicité : amagniez@hachette-livre.fr ☎ 01 43 92 32 53

Crédit Photographique

Intérieur
Toutes les photographies de cet ouvrage ont été réalisées par **Nicolas EDWIGE**, à l'exception de celles des pages suivantes :

Intérieur :
Stéphane Gautier : p. 2, p. 3 (ht.d., b.d.), p. 4, p. 5, p. 11 (c.d.), p. 16 (ht.g., ht.d., c.d.), p. 17 (ht.g.), p. 21 (c.d.), p. 22 (ht.d.), p. 25 (ht.g.), p. 29 (c.d.), p. 31 (ht.d.), p. 33 (ht.d.), p. 35 (ht.d.), p. 36 (ht.), p. 41 (b.d.), p. 42, p. 43 (h.g.), p. 45 (c.g.), p. 47 (c d.), p. 49 (ht.g.), p. 50 (b.d.), p. 52 (b.g.), p. 53, p. 55 (c.b.), p. 56, p. 57 (c.d.), p. 59 (c.h.), p. 60, p. 61 (ht.d.), p. 63 (c.g., c.d.), p. 67 (b.d.), p. 68, p. 69 (ht.g., c.b.), p. 70, p. 71 (c.b.), p. 74, p. 75 (ht.), p. 76, p. 77 (c.d.), p. 81, p. 83, p. 99 (ht., c.d.), p. 100 (ht.), p. 102 (ht.g.), p. 105 (ht.g.), p. 107 (c.d.), p. 110 (b.), p. 111 (c.g.), p. 112 (b.), p. 113 (c.d.), p. 116 (ht.g.), p. 117 (b.d.), p. 121 (ht.d.), p. 122 (ht.d.), p. 123 (ht.), p. 125 (c.g.), p. 128 (b.), p. 132 (b.d.), p. 133, p. 157 (ht.g., ht.d., c.).
Hachette : p. 22 (b.), 28 (ht.d.), 32 (b.), 34 (b.).
Woka : p. 12 (ht g.), 114 (b.). **Haus der Musik** : p. 41 (c.g.), 47 (ht.), 78. **Quartier-21 / Popelka-& MuseumsQuartier Errichtungs- u. BetriebsgesmbH** : p. 75 (c.). **Demel** : p. 79. **Maison de l'Autriche, Wiesenhofer** : p 82 (c.g.). **Hartmann** : p. 104 (b.). **P2** : p. 107 (ht.g.). **Wolford** : p. 107 (b.). **Adil Besim** : p 120 (ht.d.) **Galerie Klute** : p. 124 (ht.d.). **Duftladen** : p. 124 (b.). **Boudoir** : p. 125 (ht.) **U4** : p. 157 (c.d.).

Couverture :
Stéphane Gautier, à l'exception de la détourée © **Nicolas Edwige** et du personnage en bas à gauche, © **Getty Images, Jean-Luc Morales** .

Quatrième de couverture :
Stéphane Gautier, à l'exception de la photo en haut à gauche © **Nicolas Edwidge**

Rabat avant :
© **Getty Images**, **Jean-Luc Morales.**

Illustrations

Monique Prudent

Imprimé en Italie par G. Canale & C. S.p.A - Turin

Dépôt légal : Avril 2008 - Collection N°44 – Édition 01
ISBN : 978-2-01-241480-8 – 24/1480/3

MIQUE-AUX-NOCES

**HEUREUSEMENT,
ON NE VOUS PROPOSE
PAS QUE LE TRAIN.**

MYKONOS,
TOUTE L'EUROPE
ET LE RESTE DU MONDE.

Voyages-sncf.com

Voyages-sncf.com, première agence de voyage sur Internet avec plus de 600 destinations dans le monde, vous propose ses meilleurs prix sur les billets d'avion et de train, les chambres d'hôtel, les séjours et la location de voiture. Accessible 24h/24, 7j/7.